慶元序跋

陳慶元著

作者簡介

陳慶元

福建省金門縣人。歷任福建師範大學古籍所所長、文學院院長兼中文系主任、協和學院院長；現任福建師範大學教授、閩學研究中心主任、《閩學研究》主編。先後被聘為山東大學、復旦大學、福州大學兼職教授、閩南師範大學特聘教授、台灣東吳大學、中央大學客座教授、金門大學榮譽講座教授。兼任中國韻文學會副會長、中國古代散文學會副會長、福建省文學學會會長。近五年主要著作：

東吳手記（二〇一一）臺北：蘭臺出版社

鼇峰集（二〇一二）揚州：廣陵書社

徐熥年譜（二〇一四）揚州：廣陵書社

陶淵明集（二〇一四）南京：鳳凰出版集團

福建文學發展史（二〇一五）臺北：萬卷樓

石倉全集（二〇一五）北京：人民文學出版社

中古文學續稿（二〇一五）上海古籍出版社

文學文獻：地域的觀照（二〇一五）北京：人民出版社

高山青澗水藍（二〇一五）福州：海峽書局

慶元序跋

目錄

小引

古人作文，必先辨明文體。晚明文學家、藏書家徐𤊹為友人林古度之父林章作傳，林古度私下增益了一些瑣碎的、或不夠忠厚的內容入傳，徐𤊹甚為不快。不是林古度增益的內容不實，而是所增益的內容傳記不宜。徐𤊹說，你那些內容，寫入「行狀」，是可以的，寫入「傳」，是不宜的。傳有傳的文體，行狀有行狀的文體，不同的文體，有不同的寫作要求。徐𤊹為了維護傳體的尊嚴，對林古度說，如果你執意增益那些內容，請不要把我寫的傳刻入《林初文集》中，另請高明好了。我們今天看到《林初文集》徐𤊹所寫的林章傳，那些不宜入傳的內容果然刪去不存。

當然，大文章家偶然也會突破文體的局限，寫出人意料的作品。韓愈《殿中少監馬君墓誌銘》首敘馬君先世及歷官、子女，次敘與馬氏三世交誼，再次哭馬氏三世，最後三哭，並感慨人世。或因少監無一事可紀，故著墨於三世交游，兩番摹寫，造出奇偉，雖似哀誄文、與墓誌體稍乖離，仍為韓集中名篇。後世如歐陽修，也是大家，屢仿之而不能。

新世紀以來，大學校園，科研機構，人人抱隋侯之珠、荊山之玉，內地每年出版圖書的數量已經傲居世界第一；如果按人口平均，台灣地區也位列世界第二。在這大潮流的裹挾下，不知不覺，我也混入出書的大軍之中。而且，不僅自己出書，還不時應朋友、同學所請（間或受命於單位）作序。收入本書之序，始於一九九九年，止於近期。其初每年一至兩篇，後來則兩三篇，集腋成裘，積少成多，三十多篇，加上數篇跋語，已可都為一書，於是命之曰《慶元序跋》。二〇一一年，《東吳手記》軟精裝本在蘭臺出版社出版，裝潢印製精美，師友同學稱贊有加，至有愛不釋手者。此後，我在內地出書，也開始關心書籍的美觀，二〇一二年、二〇一四年在廣陵書社出的《鼈峰集》（三冊）、《徐熥年譜》，封面設計古樸，精裝，排版疏朗；二〇一四年鳳凰出版集團的《陶淵明集》，小開本，布面精裝，亦差強人意。承盧社長瑞琴女士不棄，本書仍然交由蘭臺出版。

書序作為一種文體，有它固有的特質。書序，還可以細分若干小類，如文獻典籍序、詩文集序、雅集詩序、單篇詩賦序、專書專著序等，不同的小類，作法固有不同，但不論何種書序，序這種文體的寫作，和論文的寫作肯定有別。但是當今的許多研究著作的書序，卻和論文很相像，往往側重於把一部著作的成績歸納成若干要點，再稍稍論述之。我自己也不能免俗。這樣一來，當今的書序往往也就缺少序作者的個性。研究當代文體的專家，是否對一九四九年以來的各種文體有較全面深入的研究，我不太清楚。如果把當代的序體作為一個研究課題，一定是一個有趣的事。

除了文獻典籍，撰序者對撰序對象，通常不會太陌生。梁朝任昉，「嘗以筆札見知」於王儉，故為之整理遺文，撰《王文憲文集序》，對王儉生平履歷、性格好尚，文風特徵，無不了如指掌。唐賈至之父與李適交誼甚深，適子又與至有「聲譽之好」，故得以體察李適文之優長。宋歐陽修《釋祕演詩集序》，先撇開撰序對象釋祕演，而從石延年落筆，由石延年引出釋祕演，以為「皆奇男子也」。歐陽修再次撇開祕演之詩，而借石延年之「尤稱祕演之作，以為雅健有詩人之意」評祕演詩，且點到為止，不作發揮，最後才引入作序的題旨。明曹學佺至交林光宇，曹氏為其選《林子真詩集》並撰序、跋。《林子真詩序》花了許多筆墨鉤畫林光宇的好色、疏懶、恃情傲物，然而卻至孝，大有魏晉之風，以見其詩的率真出自胸情。

回頭審視十多年來自己寫的這些序文，除了「未能免俗」的那部分，即一般序文的評價和介紹方面，似乎也注意到著作作者的生活經歷和求學經歷，甚至他們的個性好尚，也注意到在人生的旅途中，我和這位作者的交集往來，有時還記錄某些趣事，盡量避免把序文寫成枯燥無味的論說體。也就是說，盡量注意序文的可讀性。雖然經努力，還是沒能做好。

作序時，我常常想得很多，寫進序文的卻很少。認識安琪，是在認識她的夫君秦惠民先生之後。一九七九年，我在南京師範大學從段熙仲（一八九七－一九八七）教授治漢魏六朝文學，惠民先生從唐圭璋先生治宋詞，宿舍就在我的對門，其時，惠民先生和安琪尚未成為眷屬。沒想到二十一年後，安琪來從我讀博。二〇〇二年，恩維考博，後來他被另一所學校錄取了。過了一週，恩維來電，說打算退學，來我這兒旁聽，明年再考。我說，三年很快就會過去的，一定得堅持。恩維畢業後，果然回到我身邊做博後。人生的緣分如此！我為文倩作序，自然想起二〇〇四年河北師範大學的一個活動，接待我們的研究生有哪些人，全然忘記了，等到洪雷、文倩夫婦來福建師範大學工作，說起來，原來早已相識，他們忙碌的身影恍然再現；而且，洪雷還是我山東大學的朋友鄭訓佐教授的碩士生……

一篇序文，不過三千來字。來不可遏，去不可止，有時興頭一來，下筆千言，不能自休；有時文思枯竭，三天不能一字。有時是身不由己，忙於應付各種雜務，耽擱了寫作。至今我仍然深感抱歉的是為胡旭的著作撰序，被我一拖再拖，拖到他的書付印了，我的序還在「構思」之中。

有幾篇序跋是為金門同鄉作的。慶瀚教授是我的同宗兄弟，也是中央大學不同科系的同事。慶瀚在法國讀博士，學的自然科學，同時又修了兩年的文學博士課程。讀他的文章，像是喝法國葡萄酒一般，充滿溫情和些許的浪漫；他是一位自然科學家，又有很多有理性思考。長慶兄是著名的小說家，上世紀五六十年代，他有一段金門軍中服務處的特殊經歷，小說的題材別出匠心，我作的跋，附在他的多卷本文集之末，原題叫《長春書店裡的陳長慶》。卓克華教授雖然不是金門人，他的一部著作研究的卻是金門史，吸引我的不僅是該書的研究對象，更主要的是他的研究方法以及資料的蒐集。

書中序文涉及到的作者，施祖毓兄、胡金望兄已經離去。祖毓兄，五十後，病逝於二〇〇八年；金望兄，五零後，病逝於二〇一三年。前兩三年，重慶一位研究吳梅村的學者，苦於祖毓兄已經再也無法聯絡上，因讀過我作的序，轉而向我乞要複印本。也許這位學者比我更需要此書，我索性把有祖毓兄題籤的書轉送給他。轉寄之前，摩娑再三，如對故人，唏噓不已。人事有代謝，往來成古今，新一代的學者正在成為學術的中堅，我為之作序的阮娟、鄭珊珊，他們都是八零後，出書時都不過三十來歲。這兩三年給九零後的碩博士生上課，我對他們說，將來你們的著作出版，如果不嫌棄，我還會為你們撰序。

「朝為媚少年，夕暮成醜老」，阮籍所說，的確是大實話。「朝如青絲暮成雪」，白髮如雪，仍不失美感，李白似乎比阮籍更懂得長者之美學。無論醜與美，阮籍、李白，都以青少年為「朝」，老人為「暮」，看法都是一致的；當今把長者都看作「夕陽」（雖然後邊綴上一個「紅」字），和「暮」的意思也差不多，只是很容易讓人聯想起李密所說「日薄西山」的意思。莊子講齊物，以為八千歲為春、八千歲為秋的大椿，和不知晦朔的朝菌、不知春秋的蟪蛄沒有兩樣。作為個體的一切生物，結局固然沒有不同，但是個體生物存在時間的長度和過程卻是很不一樣的。曹學佺為林光宇作序，光宇卒年二十八；任昉為王儉作序，王

儉卒年三十八；歐陽休作《蘇氏文集序》，蘇舜欽卒年四十一。對林光宇、王儉、蘇舜欽來說，二十多歲、三十多歲就是他的暮年。二〇一四年，廈門第一中學一九六四屆高中畢業五十週年紀念活動，同學推舉我作為代表發言，我說，面對來參加活動的九十多歲的王毅林校長，我們沒有資格言老；面對九十多歲仍然乘公交車上教堂做禮拜、唱詩的我的母親和她的姐妹，我們沒有資格言老。

謝謝本書所有為我提供作序機會的朋友和同學，謝謝大家讓我分享閱讀作品和研究成果的快樂，謝謝大家帶給我作序過程和之後的莫大愉悅！

謹將此書獻給為我慶生的親友和同學！

慶元七十初度

小引

林怡《庾信研究》序

庾信作為南北朝最後一位重要的作家和詩人，常常被譽為集大成者。庾信的文學成就，融合南北，在公元六世紀達到了巔峰，更重要的是，他對隋唐文學的發展產生了巨大的影響。庾信的研究，幾十年來一直是南北朝文學的研究熱點，著名的文史研究專家李詳、陳寅恪、高步瀛、饒宗頤、曹道衡等先生都有研究論文發表；中年學者許逸民先生點校的《庾子山集

注》堪稱精品，魯同群先生十五年前已發表過《庾信入北仕歷及其主要作品的寫作年代》（載《文史》第十九輯）這樣有分量的文章。著作方面，則有劉文忠先生的《鮑照和庾信》、鍾優民先生的《望鄉詩人庾信》等。臺灣學者和大陸學者一樣，對庾信充滿關注，翻開洪順隆教授主編的《中外六朝文學研究文獻目錄》就可以看出這一點，例如一九八四年文史哲出版社就出版過許東海的碩士論文《庾信生平及其賦之研究》。在日本、小尾郊一、興膳宏、清水凱夫先生和矢嶋美都子女士都是研究庾信的專家，興膳宏還著有《望鄉詩人——庾信》（譚繼山譯，臺北萬盛出版有限公司，一九八四年版）。韓國學者似也不甘落後，李國熙先生所著《庾信後期文學中鄉關之思研究》（臺北文津出版社，一九九四年版）也頗引起學界注目。西方的學者對庾信也有所研究，例如美國哈佛大學博士葛克成（William T. Granhan, jr）就研究過《哀江南賦》並將其譯成英文。

在庾信研究已經取得如此豐碩成果的情況下，林怡選擇庾信研究作為博士論文，不免為她捏一把汗。但是，當我陸續審讀她送來的一些章節初稿，例如「庾信的世系」、「庾信梁朝仕歷考」等，馬上就放心了。庾信世系，從倪璠開始就有學者研究，林怡在前人的基礎上作了增補，使其臻於完善；歷來研究庾信，較注重北朝仕歷而忽略在南仕歷，林怡的研究不僅帶有填補空白的性質，同時還糾正了史書上某些疏失。《哀江南賦》的作年，也是研究庾信不可迴避的課題，林怡經過詳考，提出自己的看法。林怡不僅精於讀書，還善於思考，例如對庾氏家族的性格特徵與其他家族有何不同，這種特徵對他的創作又有什麼影響？庾信心理歷程又是怎樣？庾信作品中又有哪些最常用的意象？她都提出了自己的看法。林怡的博士論文終於如期完成，並且得到答辯委員會的一致好評。《文學遺產》「博士新人譜」將把她的名字列入其中，對她的論文進行介紹。人民文學出版社也建議她將論文作些修改，更為今名予以出版，這說明林怡的博士論文是做得成功的，並且得到學界認可。

我知道林怡的名字在一九八九年冬。其時，浙江古籍出版社在杭州召開某書審稿會，在杭州大學攻讀博士的梁曉虹告訴我，說有個碩士生叫林怡，是福州人，讀的也是文獻專業，畢業後有意到福建師大工作。一九九〇年春，我再度到杭，曉虹帶我到宿舍看她，不遇。這年夏天，她獲得碩士學位，來福建師大工作。一九九三年春，福建師大中文系開始籌劃與有博士點的院校聯合培養博士生的工作，林怡表示她將報考魏晉南北朝文學。其時，事情尚無眉目，我建議她先讀些有關這一時期的文史書籍。次年，與山東大學協議達成，林怡經過嚴格考試，被山大中文系錄取，師從張可禮教授。同時，齊裕焜教授和我也被山東大學聘為兼職教授，由我協助張先生指導林怡（齊裕焜教授協助袁世碩教授指導另一名博士生涂秀虹）。林怡碩士階段主攻文獻學，文獻資料是她的強項，這在做論文時充分體現出來；她的文學理論基礎比較薄弱，但在山大就讀時張可禮教授（還有袁世碩教授）給她補上了這重要的一課，從她的論文中也可以看出明顯的提高。張可禮教授是陸侃如先生文革前的研究生，文革前已發表過庾信等中古作家的論文。文革後，相繼出版了《建安文學論稿》、《三曹年譜》、《東晉文藝繫年》等有分量的學術專著，近年還不斷有新成果發表。林怡博士論文的順利通過以及此書的出版，與張可禮教授的精心培養和指導是分不開的。

林怡攻讀博士這三年，其中的艱辛是常人所難想像的。在山東時，不免牽掛年幼的小孩；回閩時又不免撒嬌干擾。因為是在職攻讀，還得兼上本科生的課程並參加系、室的各種活動。旁人見了，都說「不容易」。而這三年，林怡終於在「不容易」中挺過來了。值得讓人欣喜的是，在林怡獲得博士學位的同時，副教授的職稱也獲批了，她成了福建師大中文系歷史上最年輕的副教授，而這一年她正好三十歲。

林怡家福建閩侯，與陳弢庵（寶琛）舊居比鄰，螺女江縈繞而過，左旗（山）右鼓（山）如黛，綠水白沙，紅桔黃橙。林怡二十歲本科畢業，三十歲獲博士學位並成副教授，除了自身的努力、導師的指導等條件外，是否也多少得力於地氣（地方的人文氛圍、佳山勝水）的薰陶孕育？我三十歲那年正帶領一所中學的師生（外加一個生產隊）戰天門地學大寨，學術論文和學術著作對我來說是何等遙遠！林怡現在已經發表過十多篇論文，出過書，這本新著又將出版了，我在為她高興的同時更看到了她燦爛的學術前景。

一九九九年

施祖毓《吳梅村歌詩編年箋釋》序

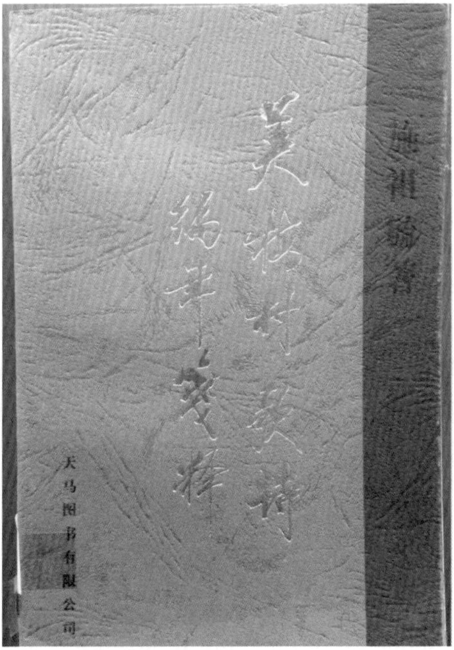

人們習慣把一九六六年至一九七〇年畢業的大學生稱為「老五屆」。「老五屆」大學生有個兩個致命弱點，一是大多數人參加了「紅衛兵運動」，或多或少受到一些牽扯，隨著歲月的流逝，未免產生一種「不知心恨誰」的惆悶；一是除了一九六六屆之外，其餘幾屆都沒有修完應修的大學課程，業務上「先天不

足」。當然，天下大亂，也成就了少數人，一些師範院校的畢業生乘便脫離了是非多端的教育界，步入仕途，相對於往屆，數量之多，階次之高，都令他們的師兄師姐們感到很有些不平。比較於步入仕途的同學，陸續進入高校工作的極少數人就寂寞得多了，書讀不夠，基礎薄弱，不用說社會上的評價，就連他們也感到底氣不足，更何況人數太少，在學校裏形成不了像「一九七七級」、「一九七八級」那樣的群體，很容易被人們忽略。儘管其中有些人經過自己的努力，也取得了一點成績，但這時他們會忽然發現，自己已經逼近甚至到了垂暮之年。這是一代大學生的不幸。我一直認為，「老五屆」大學生群體不過是承上啟下的一個「鏈」，是一個過渡的群體，它註定不可能在高校的教學科研中發揮什麼驚天動地的作用。

但是，如同即便是不怎麼顯眼的事物也有閃光點一樣，「老五屆」中的某些人在科研方面並非完全暗淡無光。施祖毓兄的明末清初文史研究，在同輩人的研究中就是一個閃光點。祖毓兄比我高兩屆，屬「一九六六屆」，在大學時就有些小名氣。七十年代後期恢復招收研究生，我獲得了從段熙仲（一八九七—一九八七）教授治中國古典文學的機會，離開福建，也離開了「老五屆」群體。三年之後，遊學歸來，在一所大學任職，頗感寂寞。我雖然讀了研究生，但仍然擺脫不了「老五屆」干係，不久，我獲知大學前後屆的同學中有幾位是在院校工作的，祖毓兄是其中一位，非常高興。一次，我到廈門探親，趁便拜訪了他。祖毓兄住在教委宿舍，街路取名「育青」，想想也挺有意思的。他的寓所已經相當陳舊了，不過，正好與家中的擺設、傢俱相配。人的性格有時會隨著時間和條件的變化而變化，但氣質、稟賦的改變似乎要難多了。祖毓兄的神情、動作、談吐和二十多年前幾乎沒有什麼兩樣。深目、寬額、卷曲的頭髮，透露出他特有的個性。我笑笑地說，你是不是胡人之後，他也笑笑說，那可說不定。他的兩架舊書架塞滿了明清文史書籍，而以明末清初者為多，還有幾部線裝古書。書多已破舊了，似可以看出主人用功的程度。祖毓兄是在一所沒有中文系和歷史系的學校教書，我不知道他教些什麼課，猜想過去，大約是公共課之類，至於明末清初的文史，完全是出於業餘愛好。和他交談，覺得他很專業，很內行，這方面的知識，無論是深度還是廣度，我都有一種自愧不如之憾。「老五屆」的同學多矣，而像祖毓兄這樣後來沒有經過研究生深造，卻在某方面有很深的專業知識的，一直很罕見，所以我很珍惜同他的交往。

祖毓兄做了十來年的講師，這是我後頭才知道的。他給送來一部二三十萬字的新著《桃花扇新視野》，說是想評副教授了，我吃了一驚。據我所知，正常評定副教授，專著並不是必備的一個條件，通常只要兩三篇（後來要求四五篇）論文就行了，而像祖毓兄所在一類院校，或許只需要專科院校的學報就可以了。我對《桃花扇》沒有研究，但據行家所言，這部《桃花扇》的研究專著，其視野的確是很新的，有不少創見和發明。大約在上了副教授的一兩年後，他又告訴我，一部《吳梅村歌詩編年箋釋》的文稿已接近完成，我又吃了一驚。吳梅村的詩很多，加上箋注，文字肯定不少。我問有多少字，他說還不知道，大約積稿已盈尺。祖毓兄為了箋注吳梅村詩，作了長期準備工作，動手寫作又耗費了數年工夫。今年六月，我到廈門大學主持研究生論文答辯，和黃國慶兄一道去看他。祖毓兄抱出一大摞的列印書稿，不無欣喜地說，《吳梅村歌詩編年箋釋》校樣已經出來了，計一千五百多頁。我從事中國古典文學研究二十餘年，頗知道其中的甘苦，不要說查找積累整理資料，也不要說思索編排與寫作，單單手寫那一百好幾十萬字，也絕非易事。

吳偉業（一六〇二－一六七二），太倉人，「梅村」是他的號。梅村以號著名於世。梅村生於明末，是復社的重要成員，崇禎四年（一六三一）會元，殿試一甲第二名，這年他才二十九歲。「甲申之變」，梅村在弘光朝中做了兩個月的少詹事，知國事不可為，遂託病告歸。江南落入清人之手後，梅村決意不仕。後來，在不得已的情況下，梅村被召入京，授秘書院侍讀，升國子監祭酒。不久，以嗣母喪南歸，遂不復出。梅村經歷了亡國之痛，寫出像〈圓圓曲〉、〈永和宮詞〉、〈蕭史青門曲〉等感人肺腑的佳篇。梅村詩既師承元、白，又學杜甫、韓愈、李賀等，自成一體，為清初一大家。梅村詩在他生前就廣為流傳，傳世的有順治十七年本，康熙七年本和康熙八年本。身後所刻的本子多達到二十多種，今人李學穎所編《吳梅村全集》收錄梅村所有詩、文、詞和傳奇，最為完備。梅村詩的注本，有程穆衡箋本、程穆衡箋楊學沆補注本、吳翌鳳注本等。祖毓兄此書博取眾長，對梅村全部詩作進行編年和箋注。編年之外，每首（組）詩之下都有「提要」和「箋釋」，有的還有「考辨」。「提要」交代作意、背景和一些與作品相關的問題，有時還分析作品的特色，文字長短不拘，時有較精彩的分析。「箋釋」注出人名、地名、典章文物制度、典故，以及語詞等，既有舊注的嚴謹特點，又便於閱讀。「考辯」考訂史實，常對舊說提出新看法，引證的材料豐富，很見編著者的功力。總之作為一部新的整理、箋注本，這部《吳梅村歌詩編年箋釋》是有特色的。

祖毓兄所在的學校，由於專業方面有它的特殊性，從事中國古典文學研究和古籍整理的條件並不十分優越，有關的圖書資料也不那麼豐富，要整理、箋注出一部一百好幾十萬字的典籍談何容易！去年，祖毓兄來福州參加一個學術會議，要我幫他印一部康熙七年本《梅村集》，會議下半程移至外地開，他拖著一個沉重的大箱子，上車下車都不免礙了他人，有人開他玩笑，說箱子裏裝些什麼金銀寶貝。在我看來，他確實把複印本當作了心肝寶貝一般。我很體會他的心境，康熙本本來就是善本，一般讀者想翻閱尚且不易，在看不到順治本的情況下，沒有康本而想要進行梅村詩的箋注，簡直不可思議。讀書人的癡情由此可以想見一般。後來他又讓代查馬導源的《吳梅村年譜》，我當然也樂於襄助。祖毓兄在條件並不怎麼優越的情況下，窮數年之力，終於完成了這部數百餘萬字的箋注，很為他高興。高興之餘，也甚感欽佩。書馬上就要開印了，祖毓兄囑我為之作序，雖自知人微言未必能重，但作為「老五屆」的前後屆同學，祖毓兄還是學長，故樂於為之序。

二〇〇一年中秋前夜於福州煙山西南麓華廬

張帆《末代帝師陳寶琛評傳》序

讀大學的時候，一個年級一百多人，四年下來，我大約只認得三分之二。「文革」期間，同學們各人做各人認為該做的事，沒有誰來管你，所以交往就少了；當然，其時的環境，還是不和太多的人來往為好，以減少不必要的麻煩，認識的人少些，也許還是出於一種本能的對自己保護的需要。當時，我的性格比較內斂，不善

於和人交際，或許也是重要的一個原因。這樣，其他年級的同學，我認識的就更少了，甚至「老鄉」也沒能認全。時過境遷，二、三十年後，想起來，覺得有些對不起同窗們，但是彌補起來卻很不容易了，畢竟絕大多數同學不在一個單位工作，即便在同一城市生活，見面的機會也是少而又少，那裏有可能再像二十來歲那會兒一般的「瘋」和「魔」？偶然碰個面，過後也許又把名字給忘了，說起來真是不應該的，但年紀一大，也就這德性，有點無奈了。

一九八二年秋，從南京遊學歸來，教的是一九八一級的中國古典文學，班裏有個學生叫劉建萍，成績相當不錯，畢業時分到剛剛組建的閩江大學。八十年代中，生活比較拮据，建萍邀我去閩大兼點課，路途雖然相當遠，我還是愉快應允了。幾年之後，建萍領著學校的一位老師一起來看我，一問，還是大學時高我一班的學長，叫張帆，我有些惶恐，連稱得罪，的確是一點印象都沒有。又過了數年，已經到了上世紀的九十年代末，張帆兄評上副教授也有幾年了，建萍和他來我的寓所。張帆兄說，他有意來師大做高級訪問學者，並要我當指導教師，我又一次惶恐。細細想起來，無非是我的「地勢」稍優，在本科院校執教而已。我說，大家一起討論，探索些問題是可以的，其餘則不敢當。

九十年代初，我開始涉獵福建區域文學研究，並於一九九六年出版了一部四十多萬字的《福建文學發展史》。《福建文學發展史》的撰寫計畫，其下限，最初訂在一九一九年前後，書稿交到出版社，多達五十餘萬字，責編有些為難，建議刪去十萬字。考慮再三，我決定拿掉第六編近代部分（十萬字左右），一則，可以確保古代部分的完整；再則，自己感覺近代部分寫得較為匆忙，有一些問題還來不及深入加以探討，所以讀者見到的這部書，僅僅寫到達一八四〇年前後。至於近代部分，擬重起爐灶，另撰一部《福建近代文學發展史》（近已列入福建省「十五」社科規劃項目）。書稿的近代部分，我下力氣最大的是「同光體閩派」一章，其中涉及了陳書、陳寶琛、陳衍、鄭孝胥、沈瑜慶、林旭、何振岱、李宣龔等重要詩人，單單讀他們的集子，就花去了相當多的時間。一九九八年，在編選第二本論文集時，我將這一章取名為《論同光派閩派》作為單獨的一篇論文收入《詩詞研究論集》一書（巴蜀書社，一九九八年版）。三萬字的篇幅，不能說太少，但是三萬字，卻只能大體勾勒這一文學流派的大貌，涉及一些較大的問題，而不能對上述所列舉的每個作家做進一步的探究。近年來，由於承擔國家項目以及指導博士生、碩士生等教學任務一年比一年繁重，不僅無暇顧及近代部分的重寫，同時也不可能對上述詩人再做個案的研究，因此也就成了一件心事。恰好張帆兄想做一個課題，我就把「陳寶琛的研究」推薦給他。

陳寶琛（一八四八—一九三五），侯官（今福州）螺洲人，出生於世代簪纓之家，十八歲中舉，二十一歲成進士，光緒朝為「清流黨」幹將，宣統朝為帝師，溥儀「遜位」後遂為清朝遺老。陳寶琛經歷了同、光以來諸多的重要歷史事件，在晚清，他是一個有影響的政治人物；清亡之後，由於他和溥儀的特殊關係而反對新的社會制度，更由於後來溥儀淪為日本人操縱的「滿州國」皇帝的原因，陳寶琛成了長期以來有爭議的人物。另一方面，陳寶琛也是近代至民初的一位重要文化人，作為「同光體閩派」的一員，其《滄趣樓詩集》有較高的文學價值；入民國之後，他還在福建大力興辦學堂，並主持其事，一九〇七年所辦的福建優級師範學堂近年被確認為福建師範大學的前身，陳寶琛因此也被視為該校的首任校長。此外，他還在福建興辦鐵路，關注地方的經濟發展。總之，陳寶琛是一位很值得深入研究的歷史人物。前些年，由於陳寶琛的哲嗣陳立鷗先生及社會各界的努力，出版了《滄趣樓奏疏》、《閩縣陳公寶琛年譜》，在福建師範大學圖書館設立「陳寶琛藏書室」，並舉辦了陳寶琛學術研討會，發表了一些零星論文，對陳寶琛做了初步的研究，取得了初步的成果，但是，這些研究略嫌有些分散，也不夠全面深入。在這種情況下，我建議張帆兄撰寫一部評傳式的陳寶琛研究專著，同時在撰寫過程中陸續發表相關論文。

張帆從著手這一課題至今已有三、四個年頭。閩江大學雖然經過十多年的建設，但圖書資料還是相當欠缺，再加上他還兼任較為繁重的教學行政工作，研究的條件並不怎麼好。好在張帆兄很勤奮，又加上有較好的基礎，雖然碰到不少困難，但是沒有退縮，在寫作過程中，有些章節一改再改，書稿形成後，又修改了兩三次。書名雖然取名《末代帝師陳寶琛評傳》，從目錄看，可讀性也較強，但是全書的寫作卻仍然遵守嚴格的學術規範，引文必注明出處，書後附有參考書目，仍然是一部嚴肅的學術著作。我還建議張帆兄做些實地考察。陳寶琛過世至今不過七十多年，螺洲其故居雖然已經殘破不堪，但遺跡仍可訪尋，實地考察，不僅可以增加一些感性認識，而且還可能找到一些資料。張帆兄一共去了螺洲三次（第三次他邀我同往），確實有不少收穫。實地考察使這本書生色不少，讀者自可從書中加以體會，不需我多說什麼。

陳寶琛的研究有不少學術難點，例如與陳寶琛有關的「清流黨」的評價問題，陳寶琛在宣統朝的作用問題，作為晚清遺民的問題，陳寶琛與偽滿州國及溥儀關係的問題，陳寶琛與「同光體閩派」評價尤其是陳寶琛在此派中的地位問題。這些問題，有些是學術界帶有普遍性的、長期懸而未決的問題，有的則是陳寶琛研究中至關重要的問題，研究陳寶琛是繞也繞不過去、並且需要嚴肅認真對待的。很為張帆兄高興的是，他的這部評傳並不回避這些問題，而且，他對這些問題的論述也大抵得當，大抵公允可信。張帆是從事文學教學與研究的高校教師，自然對陳寶琛的詩文詞以及書法更加關注，在這部書稿中，這些部分似寫得更加深細些。「同光體」論詩強調學宋，詩派首領人物之一陳衍（也是福州人）把詩分為詩人之詩和學人之詩兩檔，表面上看似無軒輊，實際上他更看重的是學人之詩，也就是看重詩人的學問以及在做詩時學問的運用與把握，其中當然包括事典的使用，這與宋代的「以才學為詩」是較為接近的，這也是人們將同光體詩派看成是近代宋詩派的一個重要原因，因此可以說，「同光體閩派」的詩是比較難讀的。張帆兄克服了這一困難，不太容易。

張帆兄送來厚厚一疊列印的書稿，讓我在出版之前寫一篇序，不管從師兄弟還是朋友的角度看，都是義不容辭的。張帆兄還告訴我，福建教育出版社欣然接受了他的稿子，而且責編又是社長兼總編的國虯兄。國虯兄曾是我的同事，也是朋友，還曾經做過十來年的鄰居。有國虯兄做責編，加以把關、審訂，這本書的品質就更有保證了。

《末代帝師陳寶琛評傳》很快就要出版了。在書稿完成之後，我曾和張帆兄交換過意見，很希望在書出版後，能繼續把與這一課題緊密相關的另一課題，即把《陳寶琛集》（或名《滄趣樓集》）整理出版。陳寶琛的詩詞是舊體詩詞，文章都是文言文，如果有箋注當然更好，至少應該有一個校點本。古籍整理也是學術研究的一個組成部分。學術研究只有對象的不同，其成果當然也有水準高低的差異，但不應簡單地以研究對象的不同來區分其高下，從而輕視古籍整理。重視專著，重視理論上的建樹是對的，但是，因為僅僅是為了重視理論建樹而忽視古籍整理的特點，那無異於抹殺古籍整理這樣一門學科。在急功近利的時代，十年磨一劍，像楊守敬、熊會貞師生窮兩代人的畢生精力整理一部《水經注疏》，這樣的例子

张 帆，福州市人。1967年毕业于福建师范大学中文系。现任闽江大学中文系副教授、教务处处长、福建省写作学会副会长。长期从事文学、写作学、教育管理科学研究，已发表学术论文、作品等30多万字。

現在幾乎再難於見到了。我不知道張帆兄今後能否沉靜下心來做一點古籍整理的工作，把陳寶琛的集子整理出來？在這篇序言的結尾，添上這幾句話，除了與張帆兄共勉之外，更有勸誡自己的意思。這幾年自己多少也沾染了躁急的陋習，心不太能靜下來。心靜不下來，學術、特別是古籍的整理與研究往往是做不好的。這些話，也許不是蛇足。

二〇〇二年二月三日於福州煙山西南麓華廬

粲然《季節盛大》序

世界盃的狼煙猛燒著，很多的男人、還有一部分為了觀賞球星酷勁的美眉們正在大喊大叫，我突然正色地說，喊什麼叫什麼，我也踢過足球呢！眾人的目光一下聚焦過來，彷彿我是外星人似的。我確實踢過足球，那是少年的時代，位置大概是中後衛之類。我非常羨慕司職前鋒的一個叫阿海的男孩，長髮飄灑，左盤右帶地過人，他是我心目中的球星。我也有偶像，那是我爸同事的一個弟弟，兩腿賊粗，他曾經代表廈門隊參加過全國比賽。我的足球生涯，是隨著一雙新球鞋的丟失而告結束的。大約是我方踢勝了一場球，興奮得忘乎所以，脫掉鞋子涼快，回家時竟給忘了。看現在這模樣，要人相信我踢過球，似乎有些難。

和人們不相信我踢過球有些相類，起初我也不太相信粲然能寫小說。粲然最初投到我門下的那個暑假，給我留了一封信，信上還畫了一個紮著辮子的小人，臉上還有粲然一笑的表情，當然，那就是她。她說，閑著也是閑著，就寫小說，而且是武俠的。粲然一臉的清純，說起話來有點嗲，好像初中剛升高中似的，要不是我的研究生，怎麼說，我也很難相信她已經讀過大學。人們的思維定勢常常是以貌論人。

直到現在，我仍然在叨念，那個武俠長篇不知寫得怎樣了？粲然入學後，交給我第一篇小說取材於古典名著「三

言」，講的是蔣興哥和那件珍珠衫的題外故事。那時，大概還沒用電腦寫作，用圓珠筆寫在厚厚的紙上，不長，四、五頁的光景，只覺得她有些想像力，但仍然不敢期望她將來在這方面成什麼大氣候。現在細細想來，或許和我自己寫作的經歷有一定的關係。十幾歲的時候，我發表過詩，對自己的散文還比較自負，甚至還改編過劇本，當然，也曾經嘗試過小說，但是沒有成功，總覺得寫小說最難。

粲然很快就表現出她特有的天賦，接二連三在很有影響的刊物發表了一系列的小說，並且得到某出版社的垂青，馬上就要結集出版了，她要我作一篇序。對她的小說，不少評論家已經發表了許多很好的意見，我不知說些什麼好。電話那頭傳來粲然的聲音：那就說些天氣什麼的吧。

所謂天氣什麼的，那就是隨便說，無拘無束的意思。那就說說海吧。我和粲然都出生在小城廈門，都曾先後就讀於同一所中學，可以說是「同鄉」加上校友。她的外婆家在廈門港的大學路，與大學路近在咫尺的一條小巷裏也曾經住著我的外婆。前年暑假過後，粲然回校，裸露的兩隻胳膊紅黑紅黑，她說是游泳曬的；說實在，我也很喜歡把自己弄得像黑非洲似的，記得有那麼兩三年，海邊和泳池邊的曝曬仍嫌不夠還非要在陽臺上把自己晾晾不可。外婆的廈門灣，陽光、海浪，沙灘，給了我許許多多非常美妙東西，這種種的美妙，可能潛入於我的體魄，也可能潛行於我的性格與精神之中。粲然外婆的廈門灣，陽光、海浪、沙灘，則更多地反映在她的作品中。若干年前，我曾經寫過一首致大海的詩，其中有這樣的思考：大海讓勇敢者更加威猛，使懦弱者更加深深感到恐懼。粲然的筆是輕靈的、細膩的，然而卻不纖弱。從《走陽光》中女主人公對那些柔弱無用的男孩的鄙視中，我們彷彿可以感受到有一種陽剛之氣在那兒湧動，我不知道這是不是潛在於作者意識中的大海的力量所致？我發覺，粲然特別鍾愛著大海，或許，她從陽光、海浪、沙灘的廈門灣得到了許許多多的靈感。大海給人一種神秘感，而這種神秘感，又常常引發人們漫無邊際的遐想。國外的不說，就說咱們古老的中國吧。《山海經》十八卷，其中《海外經》多達七卷，什麼比翼、交脛之人，什麼一目、無腸之國，難怪孩童的魯迅對它如此地著迷。傳說海外還有三神山，秦皇、漢武或親自尋訪、或派人往尋不死之藥。寫慣了媚人狐狸的蒲松齡也不忘勻出筆墨，給後人留下一篇抒情詩《海市》。髮辮濕漉漉的，衣裙濕漉漉的，沙灘上留著好一長串的腳印，這樣的女孩也許太平凡了，但是面對著大海的粲然，卻能以一個女孩獨特的眼光，寫出她對社會、對人的生命、對青春友誼和愛的種種思考，而且這些思考又常常以她所鍾愛的大海為背景。中國的海岸線很長，經濟發達的省市也基本上集中在沿海，也就是說，中國有著非常豐富的海洋文化資源，然而，我不能不時常感歎中國海洋文學的貧乏。粲然的小說大多以海洋文化作為背景，現在來評價她的小說對海洋文學的貢獻似乎為時過早，但我期待她的「海洋小說」今後能有更大的突破。

粲然還在大學中文系攻讀碩士學位，並且很快就要進入論文寫作的階段。有人對我說，憑藉粲然的聰明，假如她全力去做研究工作，中國就可能多一個學者。我對他說，假如粲然不在課餘努力從事創作，中國可能就會減少一位有才華的作家。上世紀九十年代以來，中國大陸的高等院校開始十分強調科研，強調論文的發表——這無疑是非常正確的，中國大陸高等院校和世界名校的差距主要也是表現在科研成果方面。但是，在實際執行的過程中也有不少偏差，例如只看數量不看品質，相當一部分論文是低水準的重複；再如，對不同的學科有時過於強求一律。就後一點而言，某些技藝性特強的學科，例如音樂、美術、體育，除了少數專門從事理論的教師外，竊以為其他教師還是應當有自己技藝方面的特長，如果某人的水準得同行和社會的廣泛認可，那麼他就應該是這方面的專家了。中文系的教師當然也應做研究工作，但一所大學的中文系如果有部分教師能從事創作，即便他們的論文相對寫得少一點，恐怕也不是壞事。一所大學中文系的牌子固然要靠學問專深、著作等身的專家、教授去創，但如果出上那麼幾個、甚或一兩個既是科班出身，又有較大影響的作家、詩人，那麼它的牌子或許就更響了。粲然是在注重學術而不甚看重創作的氛圍中開始她的寫作的，起初還有些遮遮掩掩，有一種「負罪感」似的。後來，慢慢自然些了。你認為怎樣生活可以得到快樂，那你就那樣生活吧；粲然在寫作中得到快樂，那麼，就寫作吧！創作給粲然帶來快樂，快樂又促成她的創作。我常常作為她較早的讀者，和她分享著快樂。

二〇〇一年夏天，我和粲然有川中之游，到江油瞻仰詩仙李白故居，到九寨溝觀賞童話般的世界，最後一站是成都，成都最後一站是青城山。「自為青城客，不唾青城地。為愛丈人山，丹梯近幽意。」（杜甫）拾級而上，憑藉充沛的體力，不知不覺，就把大夥都拉在後面了。峰頂的上清宮已經可以望見，只有一二里之遙。可是突然卻覺得離開大隊人馬太遠不好，不知是否會讓他們擔心。於是飛奔而下，只見大夥兒三三兩兩席地閒聊。不知粲然怎麼想，我是下了山一直覺得遺憾。古人云：行百里者半九十。今天難道不是這樣嗎？如果今天不是大隊人馬出遊，或者我們再加快一點腳步，不是早就可以登上峰巔，俯望川西千里平原，岷江滾滾而來了嗎？在粲然第一部小說集出版之際，回想去年西遊川中，一則以示不忘舊事，再則也與粲然一起思考，生活中往往有不少可以啟發人深思的東西。

今天天氣極好，太陽豔麗，天色深藍深藍。做自己喜歡做的事——又是一個快樂的日子。

二〇〇二年於福州煙臺山西南麓華廬

苗健青、呂若涵《文采風流千年榜——歷代閩籍作家作品掠影》序

二〇〇〇年我參與福建省社科規劃項目文學類的制定，社科規劃很看重前沿性或者說具有特色的項目。就舉唐詩宋詞的例子來說吧，福建省的個別專家雖然在這些領域的研究取得了很好的成績，但從全省的整體水準上說，還不能在全國處於領先地位，而且今後一個時期也很難有重大的發展和突破，研究人員較少、基礎較薄弱，這是一個方面，資料的不全和相關版本的缺乏也是不可忽視

的原因。古典文學其他一些研究課題也大體有相類似的情況。雖然我個人還是很看重傳統、並且積澱深厚的項目，而且至今我還仍然在研究魏晉南北朝文學的某些課題，但是作為一個省的規劃，又不能不較多地考慮項目的前沿性及特色。

前數年，我承擔了一個省「九五」社科規劃項目——《福建文學發展史（古代卷）》，成果出版後，大約有十來個省市的專家學者索要，他們已經或正在組織人馬編寫相應的區域文學史，並且多數列入當地的規劃項目、甚至重點項目，其成果也都正在相繼問世，某省還專門為這類成果開了新聞發佈會，大大熱鬧了一番。雖然不能說，許許多多的區域文學研究的集合就是中國文學研究的全部，但至少可以說中國文學的研究是離不開許多單個的區域文學研究的。不論單個的區域文學研究的深度如何，但可以肯定，許多單個的區域文學研究往往帶有它的特點或者叫特殊性的。基於這一認識，我建議省「十五」社科規劃項目應該有《福建近代文學發展史》（項目指南發佈時整合為《福建近現代文學發展史》），並且列為重點項目）和《福建歷代作家作品研究》這些項目。

《項目指南》發佈時，我已先獲得了一個國家社科基金項目，按省上規定，為了保證國家項目的完成，不得再以主持者的身份申報省項目，即使沒有這一規定，在國家項目完成之前，我實在也未必有很多精力來關照其他課題。《福建歷代作家作品》這一課題是以福州大學林怡教授領銜申報的。林怡在上個世紀九十年代中期從山東大學張可禮教授和我治魏晉南北朝文學，獲得博士學位，她先後執教於福建師範大學與福州大學，近受日本福岡大學之聘，執教於東瀛。林怡近年對福建近代女作家薛紹徽發生了興趣，正在整理她的集子和撰寫研究論文。這部《歷代閩籍作家作品掠影》的編撰，是她去日本之前與苗健青、呂若涵兩位副教授討論過的。健青、若涵都孜孜於學問，心不旁騖，學問和人一樣，實實在在的，在這樣一個講功利的環境中，好像也不懂得學些包裝自己什麼的。健青治古代文學有年，曾從著名文學史家徐公持先生做高級訪問學者；若涵是南京大學的博士，治現代文學，他們各有所長，編撰這部《歷代閩籍作家作品掠影》，正可以做到「優勢互補」。

閩人選閩人作品的選集不知始於何時，就我的孤陋寡聞，現在知道的，要算晚唐莆田人黃滔所編選的《泉山秀句集》（今佚）為最早，該書所選始於武德，止於天祐，即唐初至晚唐，所選「秀句」，共三十卷，是一部部頭不小的選本（註一）。閩人選閩人之作，最興盛的是清代（註二）。一九一一年之後，仍有不少閩人醉心於此事，例如上世紀二十年代福州「逸社」社長張煒孝廉曾搜集清道光至辛亥革命前後詩作千餘首（後因兵禍及社會變革散失頗多，一九九九年始由其後人張一鳦增益成《閩中近代名家詩選》）（註三）。一九四九年後，這類選本大體可分為兩種。一種是舊體詩詞選本，這類選本多囿於某一地市，即使是正式出版物，也多為輾轉摘抄，未經核對原書，錯訛頗多，常常令人有我「江東無人」的羞赧。一類為新詩、語體散文和小說的分類選本，由於眾所周知的歷史和人為的原因，這類選本往往又缺乏生命力（不能說其中沒有一些好作品，卻不幸淹沒於其中）。

雖然，《歷代閩籍作家作品掠影》不一定就是我所期待的那種（通代，分文體，多卷本）選本。但是，正如一時沒有能力建築摩天大廈，先營就一所小別墅也不失是一種選擇一樣，在大型選本一下還不可能出現之前，除非是專門家，一般的讀者借助此書，對福建歷代作家作品做個大致的掠影，我想也是十分有益的。這個選本雖然只選數十家的百來篇作品，但都是經過選家精心挑選的，古代和近代的作品不用說，即使是現當代的作品，也是些富有生命力的優秀作品，郭風的《葉笛》，舒婷的《雙桅船》，曾經讓許多經歷了上個世紀五十年代到八十年代的讀者，一直到現在仍然興奮不已，當然，我也是其中之一。余光中雖然遠在臺灣，他的作品傳播到祖國大陸來晚了一些，但讀了他的作品，我似乎才領悟到用現代漢語寫就的文人雅士詩和散文的究竟。

註一：詳陳慶元《福建文學發展史》第二章，福建教育出版社，一九九六年版。

註二：詳陳慶元《清代前期福建區域文學總集及詩話的編纂》，《中國典籍與文化》（論叢）第六輯，中華書局，二〇〇〇年版。

註三：詳盧為峰《閩中近代詩選·後記》，《閩中近代詩選》，同人印本。

健青和若涵在編寫這部選本時頗費了一番苦心，在對每一位作家及其作品的介紹、鑒賞、分析和編排時很有一些新穎和獨到之處。僅形式上說，每一篇都有一個很醒目、吸引人的題目。在作家的名字下先注明生卒年及籍貫或出身地。這裏要插入說一下朱熹，朱子的籍貫雖為徽州婺源人（今屬江西），但他生在福建，長在福建，一生多數時間在福建做官、執教和活動，作為特例，一部選閩人作品的書，似乎不能沒有他。此外，每一篇都有四個部分，一是「關鍵字搜索」，二是「作家精解」，三是「傳世精品賞析」，四是「書目鏈結」。特別有意思的是「關鍵字搜索」和「書目鏈結」。眼下，中國大陸的學術刊物撰稿要求都要有「關鍵字」，兩位編著者將它移來本書，讓人耳目一新。《黃滔》一篇，「關鍵字搜索」為：「晚唐五代詩人；文論家；律賦作家；王審知；閩中文章初祖」，五個片語，指出黃滔其時代為晚唐；其成就一是詩，二是文論，三是律賦；「王審知」一詞則指明黃滔與閩王王審知有密切的關係；「閩中文章初祖」，肯定黃滔是福州一地文章之祖。要言不煩，頗起到一種精警的作用。「書目鏈結」，是讀者在讀了「作家精解」和具體作品賞析之後，假如餘味未盡，編者為讀者著想所提供的書目資料，其中包括書名、版本和出版社等，好讓讀者查找，以便閱讀甚至進一步深入進行研究。例如《朱熹》，提供了三本書，一本是束景南的《朱熹大傳》，是研究朱熹生平思想和學術的著作，另外兩本是朱熹本人所著——《晦庵集》和《朱子語類》，前一種是朱熹的詩文別集，後一種是朱熹的雜著。讀者可以根據各人的愛好和需要進行有選擇地閱讀或全讀，比較方便。

編者雖然自謙說這部書只是浮光掠影的選本，在普及性方面，他們是動了不少腦筋的。其實，這部書還有較強的學術性，沒有一定的學術積累是寫不出這樣的書來的，這與我前面所說的那種輾轉抄錄的選本有著本質上的區別。

我很高興地注意到，參加本書個別篇目撰稿的還有呂若涵博士的碩士研究生嚴峻等人。讀者們可別為「嚴峻」兩個字嚇唬住了，叫這名字的可是一位眉清目秀的女孩。記得兩年前我為本科生開福建地方文學史課時，有位女生總坐在第一排的中間，專注凝神地聽講做筆記，那就是嚴峻。現在她也參加到福建文學的研究隊伍來了，很為她和她的同學高興。

《閩籍作家作品掠影》快要出版了，健青和若涵讓我作序，盛夏之中，也算是一件頗為快樂的事吧。

二〇〇二年七月十五日於福州煙山西南麓華廬

▲呂若涵照片

▶苗健青照片

胡大雷《宮體詩研究》序

與大雷兄的交往，不算太早，但也可以追溯到一九九六年，其時，他的第一部專著《中古文學集團》由廣西師範大學出版社出版，給我郵來，令人十分欣喜。上世紀七十年代末，我考上研究生，從段熙仲（一八九七－一九八七）先生治兩漢魏晉南北朝文學，曾對南齊永明文學下過一些功夫，八十年代初，還作過一篇《建安遊宴詩略論》的文章，對魏晉南北朝時期的文人集團有過較多的思考，無奈，九十年代之後，心有旁騖，分身從事地方文獻與文學的研究，對魏晉南北朝文學的研究未能全力以赴，某些原先的研究計畫不能不擱淺，因此見到大雷兄的著作就有說不出的高興，因為學界多了一位同道。

其實，和大雷兄的交往，還僅止於神交而已，在二〇〇二年十一月之前，我們一直沒有謀過面——不是沒有機會，而是都錯過了。例如，在桂林召開過學術會議和其他的大雷兄到會的學術會議，大多都是由於經費的原因，我未能出席；有一次，我所在的福建師範大學召

開全國師範院校研究生處長、部長工作會議（大雷兄任廣西師範大學研究生處處長），大雷兄給我來電，說這下可以見面了，可細算一下時間，我恰好有外出任務，失之於交臂。二〇〇二年四月，大雷兄推薦其弟子陳恩維來報考我的博士生。恩維君外語好，寫過幾篇六朝的文章，他頗有信心，面試我也很滿意，後因我只有一個招生名額，不能不割愛。後恩維被其他大學所錄取，但仍然和我保持很好的聯繫。二〇〇二年十一月，我校九十五周年校慶，大雷兄陪侍他們的校領導來榕，我們通了話，因為受到公務和責任的制約，直到大雷兄離開福州的前十五分鐘我們才得以見面，一盅清茶未盡，手機已經響了起來，福建某準備申報碩士點的院校來車將他接走——不由使人想起小說或電視的此類描寫。但沒想到事隔半年，大雷兄又出現在福建師範大學，這一次，他是作為教育部專家組的成員來檢查指導教育碩士點工作的。會上，他是「領導」，是「專家」，會下，我們是朋友，是同道，談得最多

的是魏晉南北朝文學的研究狀況和心得。有朋自遠方來，悠然和從容的細談、長談、深談，實為人生一大樂事。他還說，有一部《宮體詩研究》的書稿已經過審查，將由商務出版，讓我寫一篇序。

宮體詩，是南朝梁出現的一種詩體。由於「宮體」之名起自宮廷（東宮），更由於這一詩體長於輕豔，所寫多為衽席閨房之辭，故宮體詩往往被看成是豔詩的代名詞。從唐朝到晚清，在漫長的一千多年間，由於受到封建倫理道德的約束與規範，宮體詩的聲名一直不怎麼好。「五四」運動，提倡新道德，反對舊道德，在舊道德看來很不順眼的宮體詩，新道德如何能加以容納？建國之後，從文藝必須反映政治，到後來對「封建糟粕」的總清算，「宮體詩」的名聲已經狼籍不堪，各種各樣的文學史著作和有關論文，避之唯恐不及，批判唯恐不及。思維的定勢，影響了多少的學人！作為魏晉南北朝文學的研究者，對宮體詩我也有自己的一些看法和見解，但說實在，我更願意繞道走（「避之」），而不去正面論及它。我相信，這種心態有相當的代表性。上個世紀八十年代中期，開始有學者有限而謹慎地對宮體詩做些客觀的評價。我和大雷兄的看法大體相同，對宮體詩的興起、特點、得失、流布的闡釋，最為圓通的當數曹道衡、沈玉成先生合著的《南北朝文學史》（人民文學出版社，一九九一年版）。一九八二年，我研究生畢業，段先生延請曹道衡、沈玉成二先生來南京主持論文答辯，曹先生還是我答辯時的主席。曹、沈二先生都是研究魏晉南北朝文學的著名專家，他們的論著，我是有見必讀，有的論著還讀過數遍。一九九五年，沈先生過世，我們在研究宮體詩時，不能不想起他。

宮體詩研究是一個有相當難度的選題。我在讀其他學人的論著前，往往會想，如果這個題目叫我來做，我將怎麼個做法。早幾個月和大雷兄交談，讓我作序，腦海中自然浮出這麼個輪廓：宮體詩的界定，溯源，產生，代表作家和作品，特點，影響與批判什麼的。這大概是最為常見而又穩妥的寫法，但穩妥是穩妥了，但寫起來不大有可能有什麼新見。思維的定勢，常常限制著我們的創造能力。收到大雷兄的列印稿後數天，廈門大學王玫教授請我為她的碩士生審查論文並前去主持答辯，恰好她的兩個學生中也有一位是做宮體詩研究的。這位學生是很細心的，他將研究的題目定為《梁代宮體詩論》，據《梁書》所載，宮體之號，起自梁代，「梁代宮體詩」的提法，當然比起「齊梁宮體詩」要準確一些，我是贊同的。但如果要進一步做到精確，似還可以用「梁代中後期宮體詩」的提法，因為宮體之號起於梁代中大通，宮體詩詩體的產生即使還要早一些，也不會早至梁初的天監。

大雷兄的研究，換了一種思路，他的視野不受宮體詩名號起於何時的制約（並不是說他不關注這一問題），而是從宮體詩最重要的特質——女色（描摹女性及女性生活內容）、豔情——入手進行研究。當然，研究的重心和重點，仍然是梁代這一詩體的形成及繁榮的情況，仍然是宮體詩詩人的活動及相關的文學理論問題。和傳統研究不同的是，他用了大量的篇幅來研究宮體詩產生之前、即從先秦的《詩經》一直至南齊那些描摹女性和女性生活情況的作品，其中甚至包括了某些賦作。沿波討源，源頭追溯甚遠；緣幹尋枝，枝蔓籠絡甚廣。順水逐流，梁陳之後，研究一直伸延至隋、甚至唐初。大雷兄說，他的這一研究屬於「類型」研究的範疇（註四），也即以宮體為中心的先秦至初唐的描摹女性、豔情詩的研究。如果換一個角度來審視這一研究，可否說，它是一種文學史大視野下的宮體詩的研究。

中國古典文學的研究，既包括側重於理論闡發的批評研究，又包括古代文論研究，考證式的批評研究，作家生平研究，文學流派文學集團的研究，還包括作品分析鑒賞的研究等。我個人一向認為，一個中國古典文學研究者，在專業上至少應具備三方面的能力，即古籍閱讀與整理的能力，理論闡發能力和作品分析與鑒賞能力，而且這三者是缺一不可。前些年，有人撰文說，古籍整理在古典文學研究中是低層面的，只有理論的闡發才是高層面的，作品的分析鑒賞則不是什麼研究。中國古典文學的研究，輕視理論固然是不對的，但如果把古典文學研究僅僅局限於理論闡發一途，就無異於抹殺這一學科的特點，將其與文學理論的研究等同起來。近年來，又有不少學者重視在文化大背景下來進行古典文學的研究，並且寫出一批有品質的論著，這是十分可喜的，但也有研究者過分強調大文化，或過分強調某一文化分支，把古典文學的論文寫成文化學（假設該作者所運用的文化學理論和知識是正確或基本正確的）的論文。因此，近期又有一些富有學養的古典文學研究者出來呼籲，古典文學的研究要回歸文學，回歸作品（註五）。大雷兄的研究，無論是專著，還是論文，都是相當關注作品，都是以作品作為研究基礎的。《宮體詩研究》一書，作者並不標榜什麼理論建構之類的大話，而是實是求事地說：「本書的研究是一種鑒賞式的批評」，「是建立在鑒賞上的作品分析與作品批評」（《前言》）。但是，這並不意味著，本書不作理論上的闡發，不作任何的綜合歸納，綜觀全書，作者是在作品的分析鑒賞的基礎上作綜合歸納，是將理論的闡發融入作品的分析鑒賞中去。《宮體詩研究》一書的研究方法，雖然沒有特別的驚人之處，但這一研究方法，卻無形中增強了研究結論的可信度。

註四：二〇〇三年八月，在《文學遺產》國際論壇上（《文學遺產》編輯部與與武漢大學文學院主辦）上，上海大學董乃斌教授在會上有一個關於撰寫類型文學史的提法。順著董乃斌教授的思路，《宮體詩研究》，實有類於「以宮體詩為中心的先唐豔情文學史」。

註五：例如羅宗強先生所撰《目的、態度、方法——關於古代文學研究的一點感想》，《天津社會科學》二〇〇二年第五期。

繼《中古文人集團》之後，大雷兄又出版了《文選詩研究》（廣西師範大學出版社，二〇〇〇年版）和《詩人文體批評》（人民文學出版社，二〇〇一年版）兩部專著，如果我沒有統計錯，《宮體詩研究》是他的第四部專著了。用力之勤，成果之富，同行有目共睹。大雷兄的研究，都集中在魏晉南北朝這一時段上。魏晉南北朝文學，如果從東漢末年的董卓之亂算起，到隋滅陳為止，大約四百年的時間，這四百年是中國古代社會很不穩定的時期，然而也是這一時期，文學有了長足的發展，作家眾多，文學現象相當豐富，近二十多年來的研究雖然取得了不少成績，但是還有不少問題值得進一步研究，借此作序的機會，願與大雷兄共勉；大雷兄正當富年，精力豐沛，研究前景當然也更加遠大。作為同道，殷切期盼著。

二〇〇三年八月三十一日於福建師範大學文學院

苗健青《閩中十子詩》序

袁表、馬熒選輯《閩中十子詩》，苗健青點校，將由福建人民出版社出版。健青要我在此書付印之際，說幾話，我欣然應答。這不僅僅是健青現在正跟我讀博士的原因，更重要的是，十年前我著手準備撰寫《福建文學發展史》，對「閩中十子」詩派有過一些涉獵，成書之後，對這個詩派仍然關注有加，繼續搜集「十子」的別集和資料。目前，雖然暫時無暇去顧及這一研究的進一步深入，但熱情和興趣不減。

《閩中十子詩》收明初洪永之世林鴻、陳亮、高棅、王恭、唐泰、鄭定、王偁、王褒、周玄、黃玄十人詩。林鴻，福清人，有《膳部集》；陳亮，長樂人，有《儲玉齋集》；高棅，長樂人，有《木天清氣集》、《嘯台集》；王恭，閩縣人，有《白雲樵唱集》、《鳳台清嘯集》、《嘯台集》；唐泰，閩縣人，其詩散見《善鳴集》等；鄭定，閩縣人，有《澹齋集》；王偁，永福人，有《虛舟集》；王褒，閩縣人，有《養靜集》；周玄，閩縣人，有《宜秋集》；黃玄，侯官人，集不傳。關於「閩中十子」及其詩派，我想至少有五個問題必須說明的：

一、閩中，秦設閩中郡，始有此稱。有些文學史家認為明初的這一詩派，是閩派，也就福建的詩派。籠統說，當無不妥。如果仔細考察「十子」的籍貫以及他們文學活動的地點，似乎不怎麼準確。「十子」之籍貫，都出於福州一府，或閩縣、或侯官、或長樂、或福清、或永福；他

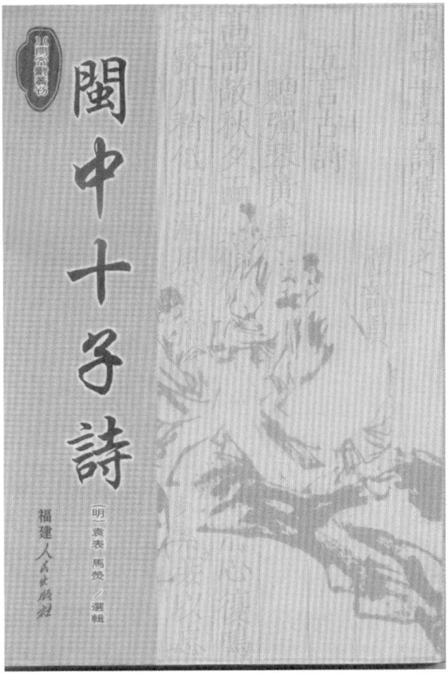

們倡酬和活動的地點都在福州（部分詩人後來出仕離開故土），所以，「閩中十子」的「閩中」，準確地說就是福州，或者如萬曆中期徐𤊹編選《晉安風雅》所說的「晉安」；明初的「閩中十子」派，就是福州詩派，或者叫晉安詩派。

二、明初林鴻、高棅他們倡酬之時，尚無「十子」之目。與林鴻、高棅同時的福州人林志（一三七八－一四二七），在為高棅作《墓誌銘》時，只有「詩人五人」的提法。成化三年，邵銅為林鴻《鳴盛集》作《後序》，始有「十子」之名，但名單與後來的袁、馬不同。成書於弘治己酉（一四八九）的《八閩通志》，還有一個「閩南十才子」的提法，但語焉不詳。據我個人的研究，「閩中十子」名單的正式確立，當始於袁、馬的《閩中十子詩》，後來為《明史·文苑傳》所襲用，遂成定名。這個問題，我在《明初閩中十子派興起之考察》（《揚州師範學院學報》一九九五年第四期）和《福建文學發展史》中有詳考。

三、《閩中十子詩》，《四庫全書》列入總集類，是「十子」的詩歌總集。但這一總集，實際上是選本，是「十子」的詩歌選本，所選的詩與他們各自的別集相差還很遠。明末藏書家徐𤊹在他的《紅雨樓題跋》中曾多次提及，題《林膳部〈鳴盛集〉》云：「萬曆初，袁景從刻《十子詩》，刪去什之三，不無過嚴。」題《嘯台集》云：「昔袁舍人、馬參軍匯刻《閩中十子詩》，收廷禮所作，亦甚寥寥，此集雖瑕瑜相半，然有可采者。」題《虛舟集》云：「近年馬用昭選刻《十子詩》，什刪二三，蓋與袁景從商榷去取者，較舊本去一百六十三首，雖所芟者不甚雅馴，而棄置不收，殊為可惜。」又題《周祠部〈宜秋集〉》：「袁景從、馬用昭二先生輩選刻《十子集》，僅收微之六十首，又以子羽一絕誤入。予近見抄本《宜秋集》，得古近體詩一百七十餘篇，視袁、馬二公所取且三倍之，皆渢渢大雅之音，信可傳也。」徐𤊹酷愛鄉邦文獻，多少有對作為選本的《十子詩》求之太過之嫌，但他的上述說明，《十子詩》所選「十子」之作分量並不太大，如果想要進一步瞭解或研究「十子」，僅僅讀《十子詩》這一選本是遠不夠的。

四、明初的閩中詩派，這一詩派興盛之時，參與者當然不僅僅限於林鴻、高棅等「十子」，參與倡酬的詩人，多達二十餘人。沒有被列入「十子」名單的，還有一些是比較重要的詩人。我們知道，高棅善畫，明初還有一些閩中詩人也善畫。明初閩中詩人創作的一個特點，是一幅畫完成後，大家來題畫，因此有不少寫得很好的題畫詩，高棅的《題〈空江秋笛圖〉送鄭助教》即是其一。《空江秋笛圖》的作者為郡人林質齋；鄭助教，即鄭定。晚明徐𤊹得到此卷，得以見到圖上的題詩。據徐𤊹考證，題詩的還有陳仲完、林慈、王恭、林志等。王恭為「十子」之一。陳完，字仲完，以字行，長樂人，洪武十八年（一三八五）進士，官翰林編修；卒後，建安楊榮曾為之作《墓誌銘》。林慈，字志人，亦長樂人，郡志稱其嫻于文辭。林志，字達善，字尚默，閩縣人，永樂九年（一四一一）、十年解會聯元，廷試第二，歷官翰林編修、右春坊諭德，有《蔀齋集》。我們在研究這一詩派時，當然應注意

「十子」之外的參與倡酬的詩人及其作品。

五、「閩中十子」詩派，是一個以地名派的詩派，明初，這樣的詩派還有吳、越、嶺南、江右等詩派。這種以地名派的詩派或文學流派，明初以後，慢慢多了起來，成為一種獨特的文學現象，對這些詩派或流派的研究，是很有意思的一件事。在研究「閩中十子」詩派時，有學者認為，林鴻、高棅他們在改朝換代之後，之所以不仕，是因為明初統治漸酷之故。我本人並不反對這一觀點，但我又想，統治漸酷的情況各地大體相當，而為什麼甲地的文人對仕途比較熱衷，而乙地的文人卻在那兒傲嘯山林？因此，我想到一個問題，那就是一個地方的風土語境、生活習俗等等文化對文學的影響問題。反過來，我們又可以從生活在這一地域的詩人的經歷、思想、活動以及他們的作品發現這裏的某些獨特文化現象。「閩中十子」喜歡提及自己或他人的郡望，甚至追溯到魏晉，不可謂不古。這種文化現象在其他地域中是較少見的。終明一代，閩地這種文化現象一直持續著，一直到晚明的謝肇淛、徐𤊹兄弟等都是如此。所以我以為，明代閩中詩派鄉心的戀古與詩心的復古似有相通之處。

說到文化研究，趁此機會，多說幾句。文化研究和文學研究，兩者之間，方法上當然有些差異，但是在研究古代文化時，涉及基礎文獻，我個人認為，文化研究和文學研究，基礎文獻都是非常重要的，都是不可忽視的。在研究古代文化的學者中，有不少是文獻功力很深的學者，他們對古代文獻非常重視，也非常熟悉。但是，眼下某些研究古代文化者，似有輕視或漠視文獻的傾向。有些人甚至不使用原始文獻，只從當代一些學術著作抄摘材料，我們不說那些小報的小文章，就是很嚴肅的學術著作中也不時可以發現這種現象。這其中的原因很複雜，可以說多數人心是好的，他們急於把地方的優秀文化介紹給讀者，但因為地方圖書館藏書貧乏，找不到古代文獻，似不得不如此。但個別人卻急功近利，不跑圖書館，不查文獻，草率從事。福建人民出版社得到省裏的支持，決定出一套鄉邦文獻叢書，《閩中十子詩》即是其一，我認為這是大好的事。《閩中十子詩》，雖然是文學類的文獻，但也可供文化研究者參考。因此，我個人還想建議，主持某個地域文化研究的行政或學術領導，在組織活動（包括學術活動和文化搭台經濟唱戲活動）時，是否可以多關心、多考慮一下地方文獻的整理工作，因為，文獻整理是古代文化研究的一項基礎工作之一，也是第一步的工作。

健青大學畢業二十年，輾轉投到我的門下。去年博士生入學考試，其中一道題是標點高棅《〈唐詩品彙〉總敘》（《唐詩品彙》卷首，汪宗尼本影印件），他點得很不錯，所以我相信他點校《閩中十子詩集》的能力。翻檢其點校初稿，果不其然。《閩中十子詩集》很快就要付排了，期盼著早日見書，同時也期盼這套叢書的陸續出版。

二〇〇四年歲首於福建師範大學文學院

劉建萍《詩人何振岱評傳》序

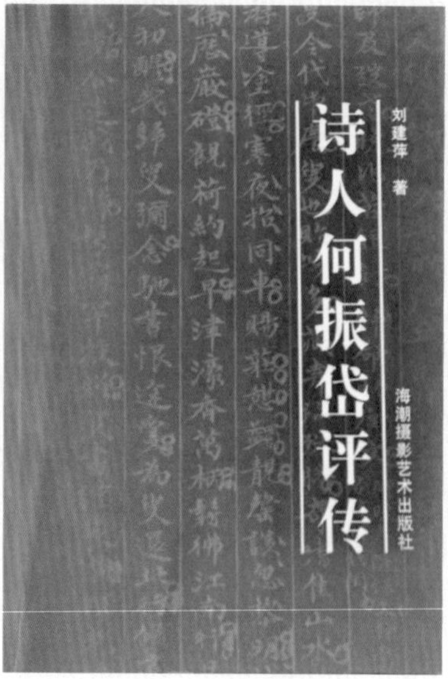

上世紀九十年代初，我開始研究地域文學，接觸地方文獻。詩文總集，固然是要關注的，例如《閩南唐雅》、《閩中正聲》、《晉安風雅》、《全閩明詩傳》、《閩詩錄》以及《莆風清籟集》等，這對於瞭解整個福建文學的發展和全貌是必不可少的。但是，僅僅依靠地方文學總集做研究，不讀別集，結果只能是浮光掠影而已。要深入研究，特別是做一個作家或一個流派（作家群）的研究，是非通讀相關別集不可的。福建地處東南邊陲，文化開發較晚，有別集傳世，當從唐代中葉的歐陽詹開始。那三四年間，大概十天半個月，我就要從圖書館抱回一部別集細讀，做卡片、筆記。讀到何振岱的《覺廬詩草》、李宣龔的《碩果亭詩》，已經是一九九五年的事了。一九九六年，《福建文學發展史》完稿，五十多萬字，其中近代部分十餘萬字，近代部分寫得較倉促，經與出版社協商，這部分就不付排了。但對同光派閩派，我是下了不少力氣的，大約寫了三萬字。一九九八年，出《詩詞研究論集》時，我將這未曾發表的這三萬字也收入該書。對同光派閩派我加以關注的，至少有陳書、陳衍、鄭孝胥、陳寶琛、林旭、何振岱、李宣龔，以及嚴復等。對同光派閩派的研究，雖然寫了三萬字，但意猶未盡，一直想多花些力氣對上述詩人做逐一的深入研究，由於諸多原因，未能勻出時間來進行這方面的工作。九十年代末，閩江大學（後與福州師範專科學校重組為閩江學院）的張帆和劉建萍先後來我這兒做訪問學者，他們都有完成某一課題的意願。於是，我就讓他們一個做陳寶琛，一個做何振岱，他們或多或少幫我圓了深入做這方面研究的夢想。張帆兩年前已經完成課題，並正式出版了《末代帝師陳寶琛評傳》一書，該書二〇〇四年獲得了福州市政府社科優秀成果二等獎。劉建萍的《詩人何振岱評傳》一書也已經完成了，當我提起筆為她這本書作序時是輕鬆而且愉快的。

一九八五年六月中下旬的一天，在福建師範大學圖書館西側的坡路上遇見劉建萍，我問她，留校的事怎麼樣了，她說某一門語言課考得不怎麼理想，落選了。在記憶中，我所在的古代文學教研室，留人相當挑剔，八十年代入學的本科生甚至是研究生好像一個都沒留校。劉建萍即使留校，也不是在古代教研室。劉建萍是一九八一級的學生，我從南京回福建省任教，教的第一個年級就是他們，所以對該年級的學生比較熟悉，建萍當時是班上的學習委員，古代文學功課特別好，印象也深些。她畢業後分到新組建的閩江大學，恰好，有師友介紹我去這所新校兼點課以補貼生活，所以又在閩大「校園」（創辦時借用某中學）中見到她，她在當班主任，忙著。後來，閩大有了自己的新校園，我外出兼課也漸少，碰到的機會也少。只聽說，她當了文史系的主任（並校後為中文系副主任），也升了副教授，事業很不錯。但是，在閩大十幾年間，由於學校性質及工作需要的關係，她教的課也頗雜，我沒細問，少說也有三五門吧；文章也寫得頗雜，不要說專心做古代文學的研究，就是原先的學問也多少有點荒疏了，對比起留校的同年級同學，多少為她挽惜。幸好，這幾年她重新回來進修（訪問學者也是一種進修的方式），又趕上並校、學校的「專升本」，無論從那方面說，要求更高了。眼下一種時興的說法，叫著以「項目帶動經濟建設」，如果把這句話移到高校，就可以叫「以項目帶動學科建設」，我以為對於一個有一定基礎的高校教師來說，則應通過做課題來提高自己的學術水準和業務水準，當然，課題的選擇也是很重要的。

我為劉建萍設計和選擇的課題是福建近代詩人何振岱的研究，這個課題對她來說比較適合，當時我估計經過努力，三年左右她是可以完成的。我的分析是這樣的：首先，劉建萍的古代文學基礎較好，具備閱讀和研究能力。其次，何振岱的詩集、文集在福建師範大學圖書館可以找到；同光派閩派其他詩人的集子在福建省圖書館和福建師範大學圖書館也能找到，研究時可以佔有比較豐富的資料（註六）。

再次，何振岱享年八十餘歲，他生於晚清同治年間，卒於建國之後，他的第三第四代後人、或他的學生現在還有不少人散居於福州等地，特別是第三代後人，有的曾與何氏一起生活過較長的時間，手頭可能還有不少何氏遺留下來的文物資料，可資研究時參考，我讓她多同何氏後人接觸，以期得到他們的幫助。建萍贊同我的意見，於是開始做資料工作。

註六：上海書店《中國近代文學大系・詩詞集一何振岱》、江蘇古籍出版社《近代詩鈔・何振岱》都說，何振岱的詩作惟有印於陳衍《近代詩鈔》之《姑留稿》。其實，何振岱的《覺廬詩草》戊寅年（一九三八）曾刊於福州，凡《橘春集》、《倦餘集》、《德鄰集》、《燕台集》、《小憩集》、《燕台續集》、《慎修集》共七集。其晚年作品，有《我春室詩文集》，油印本，一九五五年，藏福建師範大學圖書館。兩書編者均未見。

她的閱讀並不是一開始就從何振岱入手的，而是首先閱讀與何振岱相關的一些詩人的材料，例如陳書、沈瑜慶、陳衍和林旭等，這樣的做法，雖然進度慢一點，但是好處是很多的。現在一些研究者，往往或多或少沾染一點急功近利的毛病，研究一個作家，唯讀一個作家的作品，對他周邊的作家不怎麼加以關照，所以論著不免有局促和不夠開展之敝。建萍邊讀邊做了一些相關的文章，有一些副產品，這或許是她早先不曾料到的。晚清，福州的大家族多互相通婚，建萍讀了何振岱周邊詩人的作品後，對晚清福州詩人群的「人際關係」也有不少的瞭解，這對於解讀何振岱的作品也有很大的幫助。建萍的寫作，或者說《詩人何振岱評傳》這本書的最大特點，就是搜集了較多的何振岱的手稿、日記、繪畫，甚至是何振岱夫人的詩詞集殘稿才最後完成的。每次建萍帶這些珍貴文物（或影本）來我這裏，我都會同她一道興奮無比。《詩人何振岱評傳》一書，附有十來幀影印件，讀者大致可以從中看出建萍在這方面的努力了（何振岱還是畫家和書家，影印件也可供欣賞）。

陳衍在論同光詩人時，再將其分為兩種風格，一是清蒼幽峭，閩人近之；一是生澀奧衍，贛、浙派近之。其實，同是閩人，其詩也有各自獨特的風貌。許承堯《題何梅叟詩卷》云：「梅叟詩心如嚼雪，淨徹中邊清在骨。因物賦形了無著，神理綿綿故超絕。沖然不廢花竹喜，適爾時成山水悅。遙情澹契孤見賞，懷袖書陳香未歇。」何振岱的詩以清淨、沖澹、富見神理見長，故在晚清閩人中自成一家。關於何振岱的詩，建萍的書有不少很好的論述，不贅。關於何振岱的生平，我想再說幾句。一是何振岱是一位富有民族氣節的詩人。辛亥革命後，何氏曾在京、滬為任教席，一九三六年回閩，福州淪陷後，日人慕何振岱之名，擬聘為顧問，遭嚴辭拒絕。他還把淪為漢奸的鄭孝胥、陳曾壽、梁鴻志、黃浚等的來往信件全部燒毀，和他們一刀兩斷。二是，何振岱還是一位傳統詩學的教育家。「五四」之後，舊文學讓位於新文學，舊的文學形式也慢慢讓位於新的文學形式，但是，中國傳統的詩歌形式仍然有著強大的生命力，我常常為那些漠視傳統格律詩的二十世紀詩歌研究論著深為不滿。不僅何振岱、李宣龔這些舊體詩名家一直活到五十年代，而且他們的一些學生甚至還活到世紀之末。何振岱的女弟子劉蘅（註七），卒於九十年代末，享年一〇三歲。據劉蘅女士說，何氏的弟子以千計，即便劉說有所誇大，但何氏弟子多畢竟是一個事實。自上世紀二、三十年代至今，福建舊體詩的創作經久不衰，有著很好的傳統，與何振岱等的私家傳授及其產生的影響是分不開的。三是何振岱還是一位方志家。他曾與陳衍一起主持過《（民國）福建通志》的編撰工作。這部通志多達百冊，內容豐富詳瞻，為歷代通志所不能比擬。為了編好通志，通志局還搜集、抄錄、保存了不少歷代文獻。何振岱自己還獨撰《（福州）西湖志》一種。

註七：劉蘅，生於一八九五年，字蕙愔，號修明，閩侯（今屬福州）人。黃花崗烈士劉元棟胞妹。福建文史館館員。有《蕙愔閣集》（一九四六年，上海商務印書館）。一九九三年福建文史館將其新舊作匯為《蕙愔閣詩詞》，由福建美術出版社出版。

《詩人何振岱評傳》出版，再加上張帆的《末代帝師陳寶琛評傳》一種，我們研究福建近代文學的著作就有兩種了（還有一訪問學者趙君堯正在做另一課題）。雖然只有區區兩種，但比起原先張帆的一種，已經有了進步。原福建師範大學校長陳一琴教授多次和我談起在文學院中文系組建福建地方文學研究室的事。春節前夕，我和院裏其他幾位領導前往拜年，老校長再次提出，讓我組織一些人，多投入些經費，從搜集資料開始，開展對福建地方文學的研究工作，這是一件很有意義的事。校長的想法，也正是我一直想努力去做的。但是，我有時心裏又不是很踏實。其原因有二：一是人們對做地方文獻和地方文學的認識。九十年代初，我在做這方面研究時，不時會聽到一些議論，以為這方面的研究不是學術的主流，沒有什麼價值，直至近期，還有一朋友從老遠的地方打電話給我，說假如你這幾年不做地方文學研究，也許取得的成績會更大些，影響也會更大些。這些意見可能都有道理。但是，我也注意到，福建作家的作品和文獻，外省籍的專家研究的成果不少。國學大師錢仲聯教授就注過劉克莊的詞，不知道算不算學界的重要成果？楊億為西昆派的領袖，西昆派長期頗受人病詬，最近我讀了一本有關他的年譜，這樣的研究不知算不算學術研究主流？前年我編選出版了謝章鋌的《賭棋山莊稿本》，引起香港中文大學黃坤堯教授的注意，他正在指導學生做謝章鋌的課題，不知為什麼香港的學者也來做這一課題？其實，研究對象有時會有地域的概念或提法，而科學研究則是沒有地域界限的，甚至是沒有國界的，我就讀過一篇日本人寫的《徐𤊹年譜》，這是世界上第一個《徐𤊹年譜》。徐𤊹是明末福建著名的詩人、學者和藏書家（《明史・文苑傳》提及），你福建人不研究，你福建人不做他的年譜，那麼，其他省籍的人甚至外國的學者也可以研究，也可以寫他的文章；你福建人研究不深，其他省籍或外國學者還可以更深入地進行研究。福建地方文學和文獻的資源是很豐富的，我常常為我們的同鄉不能很好利用這種資源感到有些難過。二是隊伍的組織，要有一些同仁對這一研究感到興趣並能沉下心來讀書、做研究。我們以往中國古代文學的研究，要麼是按朝代來劃分，你研究什麼朝代，一旦方向定下來，就研究什麼朝代，例如我研究兩漢魏晉南北朝文學，就長年研究兩漢魏晉南北朝文學，你研究唐宋，就長期研究唐宋，精力集中。還有一種，是按文體分，詩、詞、賦、散文、戲曲、小說，術業專攻。其實，還有一種劃分辦法——按「塊塊」、即地域來劃分。區域文學的研究，其困難是，既要關注整個中國文學的大背景，又要打破朝代的局限，還得關注各種文體，但其好處是，鄉邦文獻畢竟比較容易搜集，由於對山川地理比較熟悉，可以做較多的實地考察，從而加深對作品的理解和感悟。所以，我覺得要做好這方面的工作，道路還比較長，在組織校內隊伍的同時，不妨同時整合省內高校的隊伍。我很高興，張帆和建萍參加到這支隊伍中來了，我還想特別提一句的是，現在任教於廈門大學的劉榮平博士，我是他的博士後合作教師，他是湖北人，前兩年他已經在關注謝章鋌和聚紅詞榭了，現在他做的題目則是閩詞（他自選的題目）研究。研究福建地域文學和文獻的隊伍正在壯大。

話似乎說得有點遠了，回過頭來看看建萍的《詩人何振岱評傳》，她的書稿完成了，很為她高興。此書文風樸實，一如其人。學術研究，還是樸實一點好，不知讀者們以為然否？

甲申春月於福建師範大學文學院

「附記」春夜特別溫暖。當我在校正以上文字時，葉嘉瑩前輩的博士生白靜從南開掛來電話，說她做的課題是宋代福建地域詞壇研究。又是一個喜歡上福建地域文學的同道！一九九六年，應香港中文大學吳宏一教授之邀，我到香港做學術訪問，時葉嘉瑩教授作為國際傑出學者也應邀赴港，吳教授是葉先生在臺灣執教時的學生，通過吳教授，我有幸拜識葉先生。葉先生的中國古典文學研究令人十分敬佩，她讓博士生做福建地域文學的課題，一定有她的道理。

二月十七日附記

鴛鴦溪詩社《鴛鴦溪詩詞》序

一九九九年版《屏南縣志・大事記》云：「開元二十九年（七四一年）從侯官縣析建古田縣，今屏南地域隸屬古田縣。同年，在長橋（今屏南長橋）建天寶寺。」此為屏南記事之始。或限於體例，《縣志》所記未詳出處。今檢唐・李吉甫《元和郡縣志》，卷二十九云：「古田縣，中下，東至州七百里。開元二十九年開山洞置。」又檢宋．梁克家《淳熙三山志》，卷三十六云：「天寶寺，橫溪里，（開元）二十九年置。見《舊志》。」元按：《舊志》即唐林諝《閩中志》，詳拙文《林諝〈閩中記〉輯考》（註八）。這樣說來，如果編《屏南縣．大事記》，還當追溯到唐．林諝《閩中志》、宋．梁克家《淳熙三山志》對今屬屏南諸寺的記載。據《淳熙三山志》卷二十九，唐五代在今屏南境所建寺還有：報恩寺，橫溪里，天寶元年（七四二）置。雙峰寺，新俗里，咸通元年（八六〇）置。靈安院，橫溪里，咸通元年置。東峰院，光化二年（八九九）置。寶慶院，新俗里，長興元年（九三〇）置。寶興院，移風里，長興元年置。南泉院，清泰二年（九三五）置。至宋太祖建隆之後所置景福院（新俗里）、寶泉院（移風里）、寶林院（橫溪里）、資壽院（移風里）、清舟院（橫山里）等，就更多了。古代修志者多以寺附山，而梁克家《淳熙三山志》卻以山附寺，對古田、屏南諸山基本上不作記載，使得我們今天在研究屏南歷史沒有更多的文獻可以參考，不免有些遺憾。因為屏南是清雍正年間才由古田縣析出之縣，又因為史籍載述相對較少，所以我們今天修志時，唐所置諸寺可否多作載記，以讓今人對本縣多一些瞭解？

註八：《中華傳統文化與新世紀國際學術研討會論文集》，三秦出版社二〇〇四年版。

屏南的藝文，最早不知始於何時？由於筆者未見到乾隆舊志，故不敢輕易斷言。清乾隆初屏南令沈鍾《縣治雙溪八首》，當是新志所著錄最早的詩了。按我個人主觀的推斷，應該還有更早的作品。我常常慨歎中國許許多多文獻的失傳和文物的屢遭破壞，使我們今天閱讀不到古人的不少著作和作品。我沒到過屏南，但沈令的「雙溪如帶抱山城，春澗初看春水生」，卻很能引起我的遐想。不知怎的，我會想起李白吟詠宣城的「二水夾明鏡，雙橋落彩虹」（《秋登宣城謝朓北樓》）名句來。安徽宣城，一九八一年因作研究生畢業論文前往考察，得以徜徉其間，故頗能體味白詩的佳處。宣城謝朓北樓在城中岡阜上，登上岡阜一望，「平楚正蒼然」，視野開闊，所見極遠（可惜北樓已毀於上世紀抗日時期）。山城屏南大概就不一樣了，雖然也是二水抱城，但岡巒起伏，山澗奔流著溪水，可以想像，山城的立體感和動感可能比安徽宣城強多了。沈鍾的詩並不特別好，他本人也沒有什麼詩名，但至少，他描寫屏南的詩流傳下來了，也可供後人賞玩。

由沈令的詩，我聯想到屏南鴛鴦詩社的詩集《鴛鴦溪詩詞》。這部詩集收集了屏南詩友們的詩歌數百首。詩友們年紀較大的（如陳健軍、韋正曼）出生於上個世紀的第二個十年，年紀最輕的今天只有三十掛零（如姚秀斌、陳曼遠），有的詩友已經過早地離開人世（如陳石民、陳立時、薛貽緒、張賢樹、陳建雄、葉持紹、薛謀崇、張世接、張戊子）。詩友們來自各行各業，有教師、幹部，有醫生、軍人，也有工人、農民和商家，我還注意到詩友中還有若干女性，而且她們都那麼年輕。詩友中，居然還有一位是我大學同年級的同學張奕專，讀書時，我並不認識奕專，一則我做學生時很不善於交友，除了本班，他班的同學認不全；當然，奕專在那個時代也不是什麼風雲人物，默默無聞的兩個同學居然不認識（同屆的同學，約有三分之一我不認識），現在講給我的學生聽，他們常常覺得不可思議。從南京研究生畢業後，我回福州工作，上世紀八十年代末九十年代初，我協助杭州大學吳熊和教授、福建社科院蔡厚示研究員主編《律詩鑒賞辭典》，蔡研究員介紹一位叫張奕專的作者，說是某炮兵旅的政委，還說是我的同學，我使勁想，怎麼也想不起這位同窗，但又不敢聲張，生怕人家笑話。《辭典》的作者大多是教授、副教授，說真的，我對軍人張奕專的鑒賞和寫作水準，其初也抱有懷疑態度，繼而讀奕專的文字，覺得是過慮了。一次同學集會，奕專也來了，其時他已經轉業到地方當了處長。不過，我仍然不知曉他的原籍。這次，讀了《鴛鴦溪詩詞》，方知他也是屏南籍，官階也略有升遷，方知道奕專也是個善詩之輩，佩服有加。鴛鴦詩社真是人才濟濟呵！

鴛鴦詩社的詩友，水準可能會有高下，創作的數量可能有多寡，這是很正常的現象。詩友們多為屏南籍，也有一定數量在屏南工作的其他籍貫的詩友。但是，詩友們共同的特點是作詩填詞都非常認真，這是詩社興盛的一個標誌。一個只有十餘萬人的縣邑，能結集刊印一部詩集，是件不容易的事。詩友們雖然不可能個個是李白、杜甫，但是憑藉著《鴛鴦溪詩詞》的結集，我相信他們的詩是可以傳給後人的。也許過那麼若干年，當後人在閱讀《鴛鴦溪詩詞》時，也可能和我現在讀清人沈鍾的作品一樣，雖然不可能像給李白那樣很高的評價，但是不免想見其人，也會反復玩味其詩。假如詩友們的詩不加以結集，隨其自生自滅，若干年後，大部份作品一旦散失，那麼，後人也可能也像我今天這樣，慨歎屏南古代藝文的大量散佚，深深感到遺憾了。

詩言志，歌詠言；詩緣情，發乎性情。《鴛鴦溪詩詞》的詩詞創作，題材非常豐富：有的作品抒發對祖國的熱愛，有的作品表達對事時政治的關切，還有的作品描繪名山大川，也有些作品細膩地畫刻作者內心的世界。讀者們當然可挑些自己所喜愛的詩詞吟誦。我個人以為，既然是一縣詩社的創作，不妨多寫寫本地的風光民俗，多紀屏南的事件人物，以體現地方特色。沒有地方性，或缺乏地方性，地方的詩歌創作就會失去特色。論山水，屏南縣以白水洋名聲最著，河床片石寬廣平坦數萬平方米，俗稱「五里水街」（張奕專《沁園春・屏南白水洋》自注），假如不發大水，溪流淺淺勻勻地流過，深僅沒踝，千人同時嬉既其上，令人歎為觀止。論人物，清雍正、乾隆間武進士甘國寶，兩度任臺灣總兵，為海疆安全殫心竭力，至今海東民眾多能道之（惜其故居至今破損未能加以修繕）。屏南可入歌入詩的人、事、風物甚多，我們的詩友們不妨以驚天地泣鬼神之如椽巨筆，盡情抒寫，為鴛鴦詩社、為屏南，也為福建和中國，大展詩才，廣交詩朋詞侶，在福建和中國的詩壇詞壇爭一席重要之地，依我看，是完全可能的。

我的博士生苗健青曾在寧德地區工作過，一次，他說屏南政協組織一個詩社叫鴛鴦詩社，編了一部詩集，讓我作序。由於對白水洋和甘國寶將軍久已慕名，也由於自己對詩詞的喜愛，很快就同意了。無奈幾個月以來，教學、科研和校內外的各種事情纏身，遲遲不能動手，甚為愧疚。酉年伊始，放下手頭其他事，抓緊復命。祝願詩友們新年詩藝大進，產生更多更好的作品，把詩社越辦越興旺。期待著《鴛鴦溪詩詞》續集或二集能在不遠的將來問世。假如詩友們那時還記得我，假如那時還需要我獻序，那麼，我一定會作寫得比現在更快些，也作得更好些。

乙酉人日於福州煙山南麓華廬

湯江浩《北宋臨川王氏家族及文學考論》序

一九九九年四月中旬的一個傍晚，我剛剛從泳池出水，泳友馮衛跑來跟我說，他的研究生同學叫湯江浩要來考我的博士生，想見見我。匆匆沖澡，更衣。只見一個面目清秀、有些靦腆的大小夥子已經在游泳館門前等著我。春寒還未完全褪去，對冬泳者來說，十五六度的水溫更是令人通體舒暢，所以在這樣的場合見到江浩，特別高興。

江浩與馮衛都是湘潭大學的研究生，江浩的導師是中國韻文學會第二任的會長、著名的中國古典文學研究專家羊春秋教授。羊先生我見過，在我作此序時，自然要想起羊先生，然羊先生已經過世數年，人事變遷，令人頗多感慨。江浩碩士畢業論文做的是六朝文學，照理說，博士論文選題繼續做六朝，也是順理成章的事。但是，其時我主持的《蔡襄全集（校注）》剛出版不久，在校注此書的過程中，我讀了較多的北宋初年的別集，包括朝鮮活字本《王荊文公詩李壁注》（影印本），深感近年對王安石這樣的大家研究尚多缺失——特

別是所謂「評法批儒」，攪亂了學界對王安石的認識，一九七九年後，對王安石的研究遠比北宋幾位大家缺少。再說，王水照先生把國內未曾見過到的朝鮮活字本介紹過來之後，也未能引起研究者的重視。當我得知江浩研究生畢業後做過一些王安石的研究工作，並且有了一些前期成果之後，便建議選題方向定在王安石的研究。

江浩為論文所作的準備工作，當然是從閱讀王安石詩文入手、從閱讀北宋的史籍入手的。但是，在我看來這還不夠。我要江浩也要讀讀與王荊公同時代的作家、以及王氏家族其他成員的詩文，還讓他到臨川找找王安石的族譜和其他文獻。江浩的閱讀面比較寬，讀書也比較深細。閱讀面的寬與讀書的深細，為論文的寫作打下良好的基礎。例如他讀《曾鞏集》，先後寫

下《曾鞏及其主要親屬行實考略》的系列論文，其中一篇副標題為《曾鞏之姑與王安石之舅考略》，便與王安石有關。他讀王安禮的各種傳記及各種《鎮江志》，寫了《王安禮葬柳永及柳永官職考辨》，不僅對柳永的官職、死後下葬等問題提出新見，而且事關王氏家族主要成員之事蹟。前期的閱讀和寫作，對後來論文的選題的確定甚有啟發。我和江浩都認為，像王安石這樣大作家的研究，僅僅局限於一人一集似乎是不夠的。反復斟酌後，江浩的選題方才定為現在的《北宋臨川王氏家族及文學考論——以王安石為中心》，這個選題就由王安石一人，擴大到北宋臨川的王氏整個家族，除了王氏家族，又關注了當時臨川的社會文化背景；當然，這一研究，其中心和重心和軸心仍然是王安石這位大家。

因為是研究臨川王氏，實地考察也是很重要的。我要江浩到撫州（臨川）跑一跑，一則搜集一些資料，最好能查看一下王氏族譜，再則感受一下臨川的地理山川，這對論文的寫作必有好處。江浩果然在撫州王安石紀念館查看了王氏族譜——紀念館的先生們給江浩很大的幫助，他們不像某些館那樣封鎖資料。中國古代的族譜，資料是很豐富的。二〇〇四年秋，我到北京國家圖書館參加一個地方文獻的國際研討會，與會者大多是史學界的專家教授，研究中國古代文學的，除了我，記得還有安徽大學徽學研究中心的兩位。地方文獻專家，極為注意地方誌和家譜、族譜的研究工作，美國猶他州的譜諜研究中心，搜集了中國的許多方志、家譜、族譜。但是，中國的家乘往往也有失實之處，一是虛美隱惡，只記祖上善美，甚至不惜誇大其辭；故意隱其不善不美，千方百計藏拙；二是歷代修譜，傳抄轉錄，不免魯魚亥豕，張冠李戴。江浩讀書甚細，對王氏家乘也作了許多辨證，並不隨意盲目信從，我以為這種治學方法和態度也是可取的。

江浩前期的準備，花了很長的時間，到真正動手寫正題的時候，很感到時間的不足。一些博士生入學之後，以為三年寫個十來萬或十幾萬的論文並不大成問題，江浩三年的時間，幾乎都投入到學習上來。江浩入學前執教於武漢某大學，入學一年後關係轉到福建師範大學文學院。文學院的環境比較寬鬆，對在職攻讀博士學位的青年教師給予比較多照顧，例如可以酌減工作量等。江浩除了必須參加的教學活動外，有額外報酬的課程什麼的，他幾乎謝絕參加。江浩的家屬在武漢，每學期他總是回去得晚回來得早，惟恐時間不夠。即使這樣，到了最後交定稿的期限，他還是弄得滿頭大汗。那天，他把油墨未乾的論文拿來交給我，頭髮長長，鬍子拉碴，臉龐也小了一圈。我說，也該整理一下了。他只是笑笑而已。博士論文的寫作是一件非常嚴肅的事，我不是說博士生寫博士論文每個人到最後都必須弄得蓬頭垢面，不成人形，我的意思只是：必須認真對待，全力以赴。人的資質可能有差異，不可能篇篇博士論文都是優秀論文，但攻讀博士學位，寫博士論文，態度嚴肅是非常重要的。

一位專家在為江浩的博士論文寫的評語中說，此篇論文有論必有考，有考必有論。確實，江浩的論文的論述是建立在大量考證基礎上的，而考證只是手段，作者通過這一手段，為論述和結論提供充分的材料和證據，使論述和結論無不持之有據。而要做好考證的工作則需要閱讀大量的文獻，要有大量的可靠文獻作為支撐。我不是說，以考證為特色的博士論文一定優於以雄辯、宏論為長的論文。但我以為，在大量譯介西方文論和方法論的今天，中國古代文學研究的考證、校勘、輯佚的基本方法亦不可廢。當然江浩的論文可能考證多了些，有個別地方影響了文氣的貫通。論文偏於考證的博士生，亦不妨多在理論方面下些功夫，不妨多吸收一些理論家的專長，使自己的知識結構更加完整和豐富些。

江浩的論文答辯通過至今已經將近三年了，經過修改，經宋紅女士和周絢隆先生的厚愛，本篇論文將由人民文學出版社出版，我很高興。這是因為我協助山東大學張可禮教授指導的第一個博士生林怡，她的博士論文《庾信研究》也是在人民文學出版社出版的；其次，與江浩同時入學的王玫博士，她的論文《建安文學接受史論》近期將由上海古籍出版社出版。漸近晚境，看到學生們的成績，作為導師，不能不感到欣慰。

江浩博士畢業後，又進入中國社會科院文學研究所從劉揚忠先生做博士後，接受京華學風的薰陶浸染，繼續研究北宋文學。江浩本科畢業於華中師範大學，碩士研究生畢業於湘潭大學，畢業後到武漢測繪科技大學（已併入武漢大學）工作，博士階段來到福建師範大學，博士後則到北京，轉益多師，行萬里路而能讀萬卷書，基礎日見紮實，眼界亦日見開闊。江浩為人做事，不急不躁，沉得住氣，低調，不張揚，都是很好的，但我還是希望江浩將來的學問和事業都能夠做得更加宏大些，這一要求不知道會不會過高？

乙酉年春正月於福州倉山南麓華廬

張帆、劉建萍《同光體閩派詩歌評析》序

上世紀九十年代初，我應出版社之約，撰寫《福建文學發展史》，因篇幅所限，近代部分在出版前撤了下來，其中固有遷就出版社的原因，但從作者自身來說，總覺得十萬字的近代部分，似乎過於粗疏，未能把福建近代文學的發展情況講得深些透些，準備留待今後專作一部《福建近

代文學史》。一九九六年，《福建文學發展史》出版後，陸續又讀了不少近代閩人專集，同時編選出版了《魏秀仁雜著鈔本》、《賭棋山莊稿本》兩書，並圍繞魏秀仁、謝章鋌、和聚紅詞榭撰寫了系列論文。寫論文，似比撰寫專書來得亢奮一些，因為專書往往受到體例的限制，對某些很有價值的專門問題，不能展開深入的討論。寫論文討論具體問題多了，專書一擱也就多年。但是，近年來我對研究地域文學的興趣始終不減，不僅不減，而且不斷鼓與呼，加入這個研究隊伍的同道越來越多了，博士後、廈門大學的劉榮平作《福建近代閩詞研究》，博士生王小珍作《宋代崇安五夫里劉子翬家族與文學》、苗健青作《閩中十子詩派研究》，碩士生蔡小燕作《蔡襄詩文研究》、賓瑩作《明代晉江藏書家黃虞稷研究》。我所指導的教育碩士、中學骨幹教師、中學學科帶頭人，也盡可能往這方面引導，例如福州二中的一位教師，建議她作《福州近代名人》的校本課程；建陽的另一位，則指導其作《武夷文化與文學》。這裏，我特別要提到的是閩江學院的張帆教授和劉建萍副教授。張帆和劉建萍在跟我作高級訪問學者期間，先後完成了《末代帝師陳寶琛評傳》和《詩人何振岱評傳》兩部著作，並且已經正式出版。

張帆和建萍所作的課題都是近代同光體閩派詩人，他們在完成課題之後，我期盼他們作更深入的研究工作，例如整理點校相應的詩文集，近年他們在搜集資料方面做了不少工作，取得了一些成績，如發現何振岱的《日記》和佚文佚詩等。張帆和建萍又做了另一項工作，就是組織閩江學院的部分教師選注《同光體閩派詩歌評析》一書，春節前，他們把書稿送來，讓我作序。

閩江學院是一所升格不久的本科院校，已經初具規模，去年底，我隨省人大視察組到過該校，真有點不大相信這是一所新建才四五年的學院。當然，代表們見到的多是「表象」，是「硬體」，由於工作的關係，我對中文系有更多的瞭解。現在閩江學院中文系的師資隊伍結構已經相當好，不說博士、碩士所占比例比較大（他們現在是非博士學位的教師不進），就是教授、副教授的數量也是可觀的。一九八二年，我初到福建師範大學中文系工作，那時整個系的教授、副教授加起來，也不過八九人，而現在閩江學院中文系的教授、副教授已經成倍於當年的師大中文系了。現在在他們面臨的一個問題是如何提高科研水準和全系教師實力的問題。我個人以為，張帆和建萍這種用科研課題把同道們組織起來，協作攻關的做法值得提倡。

我個人以為，科研要找准一個方向，而且必須切合實際。九江學院（原九江師專）選擇陶淵明作為長遠的研究課題，許昌學院（原許昌師專）注重鍾嶸《詩品》的研究，經過多年的努力，他們在全國已經有些知名度，很值得我們借鑒。同光體閩派詩人研究這一課題，似也比較切合張帆和建萍所在學校科研的實際，因為閩派詩人就產生在一百三四十年前的福州。其有利的條件是：福建省圖書館和福州本地高校圖書館藏有較豐富的這方面的文獻資料；同光派閩派詩人的後裔、門生故友的後人不少還生活在本地，可供諮詢；作品所寫的本地風光、民風民俗尚存，他們中一些人的故居現在尚在或尚未完全毀壞，考察起來相對容易。幾年來，張帆、建萍在研究過程中已取得一定的成績，張帆考察了螺州陳寶琛的藏書五樓故址和陳氏宗祠，建萍多次訪問何振岱的後裔並搜集了不少稀見資料，他們就是充分利用這方面的資源與優勢的。

同光體，是興於清同治、盛於光緒年間的一個詩歌流派。這個詩歌流派，「不專宗盛唐」，而推尚宋詩，它是道光、咸豐以來宋詩運動的繼續。這一流派最重要的理論家陳衍說：「宋人皆推本唐人詩法，力破餘地。」（《石遺室詩話》卷一）就是說，他們雖然取法於宋，但又不泥於古，詩歌的創作必須有開拓和創造。同光體的代表作家有陳衍、沈曾植、陳三立和鄭孝胥等。同光體的作家由於宗尚宋代詩人的不同，又可以分為閩派、浙派和江西派。大體上說，閩派詩以「清蒼幽峭」見長，浙派和江西派則以「生澀奧衍」為特色。同光體這一流派聚集了一大批很有才華的詩人，在「戊戌變法」前後，他們中絕大多數人都主張變革，參與變革，有的甚至獻出自己的生命（如林旭），但是辛亥革命之後，不少人又傾向保守，成為遺老遺少，更有甚者，到了二十世紀三十年代像鄭孝胥、梁鴻志這些人則墮落為漢奸，為世人所不齒。這個流派參加的成員政治上十分複雜，它不像以柳亞子為首的南社那樣，幾乎所有詩人都是革命派，但是同光體的詩歌從總體上看，其詩歌藝術的水準要超過南社。一方面是政治的複雜，另一方面是具有較高的藝術成就，這就給研究和評價這一詩歌流派帶來許多困難。一九四九年之後的三十年間，由於眾所周知的原因，對同光體幾乎沒有進行過什麼研究，在常見的教科書中，常常只用幾句否定的話加以簡單表述了事。二十多年來，對這一流派的研究雖然有某些進展，但並未深入。例如，對這「一體」的閩、浙、江西「三派」的深入探討，對「三派」中具體詩人的深入研究，又如對眾多文集的整理出版，以至對佚文佚詩的搜集等等，都是很不夠的。具本到閩派，「清蒼幽峭」的深刻內涵是什麼？在「清蒼幽峭」風格下，沈瑜慶、陳寶琛、陳衍、鄭孝胥、何振岱等人的詩又有什麼不同？再如，林壽圖是非同光體詩人謝章鋌的朋友，同光體中又有一些人是謝章鋌的門生，他們和謝的詩風主要的區別又在哪里？閩派的發生發展延綿百年（最後一位詩人劉蘅卒於一九九八年），就其發生發展的過程，是否可以分成若干階段，如果可以，又該怎麼分？此外，文集的整理出版工作也大有可為，是否可以計畫編輯出版一套同光體閩派詩人別集叢書？在條件成熟後再推出一套研究叢書？

既然本書是有注釋的一個選本，借此機會，順便談談選本的選文和注釋的問題。

首先，選家必須有好的眼光，才能編選出好的選本。《同光體閩派詩歌評析》是我所知的第一部同類選本，無所傍依，屬於草創，是不太容易的。本書共選閩派同光詩人二十四家，選得最多的是沈瑜慶（三十題），以下依次是鄭孝胥（二十三題）、陳寶琛（十七題）、林旭（十四題）、何振岱（十二題）、李宣龔（十題）等；最少的是劉蘅（一題），因劉的活動主要在辛亥之後，選得少也是合適的。從總的比例看，選本大體反映了此派的實際情況。但是，陳衍之詩，在同光流派中其成績雖然稍遜於浙派沈增植、江西派陳三立，閩人鄭孝胥，但也是重要一家：陳衍的主要成績在詩歌理論，他的一些論詩詩也自有特色，其實也應多些關注。

其次，簡明準確的注釋有助於讀者對作品的理解。同光詩人講詩人之詩和學人之詩，而特別欣賞學人之詩。學人之詩往往用了較多的事典，這些事典，如不加以注釋，讀者就更難懂了，例如陳寶琛的《感春四首》，選注者是花了力氣的。我個人認為，古代詩詞的注釋，簡要說，一要注意語詞，二要注意名物事典。語詞，常用的工具書大多可查到；名物事典，有時就比較難了。名物，包括人名、地名、亭臺樓閣、器物、典章制度、職官等；事典，包括時事背景、事件和典故等。舉例說，陳衍的《春日題仲兄冶亭書齋二首》其一中四句云：

「桃紅李復縞，書炫夜不晦。枇杷雖未金，黃花散寒菜。」從字面看，即使「縞」、「炫」也不特別難。詩的前兩句說春天桃紅李白，而李花白亮以至夜晚讀書都不覺得暗晦。韓愈《李花贈張十一署》有「江陵城西二月尾，花不見桃惟見李……白花倒燭天夜明，群雞驚鳴官吏起。」宋代的楊萬里，認為「花不見」句不好理解，陸遊在《老學庵筆記》中說，王安石不也寫過「積李兮縞夜，崇桃兮炫晝」之句嗎？桃花鮮豔，白晝特別炫人眼目；李花縞素，夜晚更顯潔白。陳衍詩綜合數典，說桃花李花都很好看，而李花夜晚顯得特別白，白得足以照明讀書。「枇杷」二句，則化用晉張翰「黃花散如金」（《雜詩》），此句李白特賞愛）而加以變化。陳衍詩其二云：

> 南豐宦游地，水木愛瀟灑。雖無名士軒，臨水緬歐冶。此波非明湖，此亭非歷下。鵲華在何許，烏石極秀雅。一篇《道山記》，文字幾傳寫。僻地本在夷，賴有登探者。

此詩的詩題，有仲兄、冶亭兩處需要出注。仲兄，即陳衍二哥陳豫。冶亭，傳說福州屏山南麓有春秋時歐冶子鑄劍時之池，北宋福州太守程師孟于池旁建亭，稱冶亭。「水木」句，暗用晉謝混《游西池》「水木湛清華」意。詩中有兩個關鍵處，一是北宋福州太守曾鞏曾作《道山亭記》。曾鞏，江西南豐人，故又稱曾南豐。《道山記》是《道山亭記》的省文。道山，在福州城南，又稱烏石山。另一處是用杜甫游山東濟南歷下亭所作詩之典。杜甫遊歷下亭寫下《陪李北海宴歷下亭》和《登歷下古城新亭亭本北海太守李邕作》，前一詩有句云：「海右此亭古，歷下名士多。」陳衍詩「雖無名士軒」、「此亭非歷下」，即用杜詩典。明湖，即大明湖；鵲華，即鵲華山，均在濟南。詩人也由冶亭，聯想到歐冶、烏山，而以古歷下亭湖山稍加比擬。這幾個地方弄清楚了，詩也就明白了。陳衍此二詩系少作，故用事不甚深遂，詩也寫得比較一般。

一部詩的選注工作是由個人承擔的話，那麼全書的體例比較容易統一。如果是由兩人或多人共同完成的話，還有一個整齊體例的問題。這也是應加以注意的事。

《同光體閩派詩歌評析》一書，很快就要出版了，我和張帆、建萍以及參加選注的同道們一樣的高興。但是，我卻突然想起一個問題，就是高校在評定職稱、認定科研成果的事。前不久，讀到北京大學季羨林老先生的一篇答記者問，談到對翻譯成果的認定，不少高校在評定職稱時，翻譯外文著作的成果是不算的。那麼，古籍整理著作、詩文選集的編選注釋在評職稱時算不算？在認定科研成果時算不算？也是我們常常碰到的。我自己也寫論文、寫專書，也做古籍整理和古代詩文選編注釋工作，是有體會的；我參加省、校、院系評定職稱十多年，所見所聞也不少。我多次說過，作為高校古代文學的教師，必須兼有寫論文、專著及古籍整理（古籍選注）的能力，對一個個人來說，可以有偏重，但不能偏廢。論文、專著本身有水準高下之分，古籍整理（古籍選注）本身也有水準高下的問題，但是不能說寫論文、專著就一定比做古籍整理（古籍選注）的工作高一等。論文、專著有很高水準的，也有很差的；古籍整理（古籍選注）雖然也有很差、謬誤百出的，但也有水準很高、可以傳世的。借此作序之便，我本人想對不太瞭解、或不太瞧得起古籍整理（古籍選注）的先生獻一言，在評定職稱或認定科研成果時，必須實事求事，給予古籍整理（古籍選注）的工作應有的重視。

由福建師範大學中文系古代文學教研室選注的《清詩選》，自上世紀八十年代由人民文學出版社出版以來，至今已經修訂三次了，主編之一陳祥耀教授還不滿意，他囑託我，將來有機會還應該再修訂。《同光體閩派詩歌評析》是一部草創性的選注本，可能存在這樣或那樣的不足或缺點，編者在校讀付印前應盡可能做到精益求精。就是書出版了，將來重版、重印，也應反復訂正修改。

春日古城多暇，草此為序。

乙酉初春於福州煙山南麓華廬

李小榮《〈弘明集〉〈廣弘明集〉述論稿》序

梁僧祐《弘明集》和唐初道宣《廣弘明集》是中國佛教史上兩部極為重要的典籍，也是研究漢魏六朝文學史、思想史、文化史的重要典籍，受到學術界的極大重視，許多論著都不斷加以稱引。一九九四－一九九五年間，我校箋《沈約集》時，就曾充分利用《影宋磧砂大藏經》本《弘明集》和《廣弘明集》，有不少收穫。對於《弘明集》和《廣弘明集》的研究，前者的成果

優於後者。日本學者牧田諦亮主編的《〈弘明集〉研究》和劉立夫博士的《弘道與明教：〈弘明集〉研究》，都是研究《弘明集》頗有創獲的專著。而《廣弘明集》的研究至今乃無專書問世。由於版本的複雜等原因，這兩部典籍至今尚未見到整理本出版，不能不說也是一種缺憾。

李小榮博士的《〈弘明集〉〈廣弘明集〉述論稿》，是他在福建師範大學中國語言文學博博士後流動站所作的出站報告。該報告以《影宋磧砂大藏經》本為底本，參以日本《大正新脩大藏經》本、《中華大藏經》本及其他相關版本，將《弘明集》和《廣弘明集》這兩部典籍結合起來進行綜合研究。《弘明集》的作者僧祐，南朝梁律學大師。《廣弘明集》的作者道宣，唐初戒律大家。僧祐和道宣雖然生活的時代不同，佛學思也可能存在差異，但他們都是中國古代傑出的佛學文史專家。《廣弘明集》仿《弘明集》，對佛學文獻的搜集進一步的增廣，兩書雖前後作，但性質相類。《弘明集》收文一百八十多篇，作者一百二十二人；《廣弘明集》收三百多篇，一百三十多人，後者的容量大大超過前者，涉及的問題也多於前者。就時代斷限而言，如果僅研究《弘明集》，則止於梁初；僅研究《廣弘明集》，僧祐之前的文獻可能難於兼及。就研究的問題而言，如果僅研究其中的一書，也可能顧此而失彼，較難融通。李小榮博士將《弘明集》與《廣弘明集》兩書合併研究，不僅貫通了東漢至唐初一個較長的歷史時限，而且研究視野也可比較地開闊，研究的「點」也可能比單純研究一書來得多些。

《〈弘明集〉〈廣弘明集〉述論稿》探討了以下幾個問題：《牟子理惑論》的真偽、產生年代及佛教初傳時期的思想、社會狀況；對永平求法史料的辨析及求法說成因；「化胡說」的由來、演變及其在佛教界的反應；夷夏論由來，漢至李唐的夷夏之爭；輪回說在中土的流行及因果報應之爭；印度佛教中形神觀與中土的形神論以及兩書中形神的爭辯；道教《靈寶經》與佛經關係問題。報告涉及到東漢至唐初佛教流播過程中的幾乎所有重要的問題和重要的理論。

對漢唐三教的關係進行探源、分析，作者對三教、尤其是佛教材料稔熟，引證翔實，經過縝密的論證，結論公允可靠。報告不少章節寫得很有意思，例如《夷夏論》長達九萬多字，它不僅梳理了佛教傳入中土以來至李唐各個時期的夷夏爭論，而且詳盡精細地分析了不同時期、不同民族掌握政權、中華民族在融合過程中漢族與相關其他民族的民族複雜心理，以及對待三教的態度，很有一些精深的見解。這些見解，對我們今天制定宗教政策仍有著很好的參考價值。

報告在文獻的考辨方面也頗下了一些力氣的，例如對《弘明集》材料來源與撰集過程的檢討，在前人基礎上有所發明。此外，在一些細節方面作者也沒有輕易放過，例如范泰《與生（義）觀二法師書》義、觀二法師，作者認為義為慧義、觀為慧觀；認為《三破論》的作者不是南齊張融；《三破論》已亡佚，小榮從劉勰《滅惑論》和釋僧順《析〈三破論〉》中的引文采輯其佚文，然加後加以詳論。

小榮是江西寧都人，紅土地培養了他堅韌不拔的性格。一九九九年在復旦大學獲得博士學位後到福建師範大學文學院工作，當時他還不滿三十歲。小榮博士期間師從復旦大學原中文系主任陳允吉教授。允吉先生是著名的佛教文學專家，寫得一手優美的駢文。他主編的《佛教文學精編》（上海文藝出版社，一九九七）、《佛經文學粹編》（上海古籍出版社，一九九九），兩書卷首都有他用駢文寫的序，序文情辭並茂，是少見的佛教文學的好文論。我曾說過，將來有誰編二十世紀文論選、或當代佛教文學文論選，此二篇似不當遺漏。小榮曾參與《佛經文學粹編》的工作，允吉先生不斷地給小榮以熱情的鼓勵和指導，當然，對他的要求也頗為嚴格。小榮家境並不好，初中畢業後入中師，中師畢業後到小學任教。後來經過自學，先後獲得專科和本科文憑，也由小學轉到農村中學當教員。幾經曲析，一九九三年他考取了南開大學研究生，師從郝世峰教授研習唐宋文學。這一年，小榮二十四歲。如果從小學一路升到中學、大學直至研究生院的話，通常只有二十一歲，但他推遲了三年，因此比同年入學的碩士生也許會大上那麼兩三歲。雖說比他們少了一些大學生的經歷與體驗，但是他多了許多研究生所未曾體味過的艱辛，多了一些謀生和應對生活的能力。正因為這樣，他特別珍惜三年碩士生的生活。其他研究生知曉古代文學和文獻學是怎麼回事，通常在全日制普通高校時已略懂一二，而小榮比他的同輩們卻晚了半拍，接受正規的現代研究的訓練也是從研究生入學這一年才開始的。他不僅順利通過論文答辯，而且還考上了復旦大學的博士生，其間的辛苦是可想而知的。一九九九年博士畢業後，他來福建師範大學文學院任教，旋即到浙江大學古籍研究所隨著名的敦煌學家張湧泉教授從事博士後研究工作。二〇〇二年，他的第一部專著《變文講唱與華梵藝術》由上海三聯書店出版，二〇〇三年第二部專著《敦煌密教文獻論稿》由人民文學出版社出版。小榮從浙江大學博士後流動站出站後，又到福建師範大學從事第二站的研究工作，二〇〇五年一月，出站報告《〈弘明集〉〈廣弘明集〉述論稿》順利通過答辯。此份報告將交由巴蜀書社出版（一九九八年，我的《詩詞研究論集》

也是在這家出版社出版的），作為合作教授，我為他高興，因為這已經是他的第三部專著了。

從一九九三年踏入學術研究的殿堂開始學步，到第一部專著的出版，小榮前後只用了十年時間；而第一部專著出版後的數年間，他又不斷有新成果問世。小榮在佛學、敦煌學、文獻學和古典文學等方面的研究，已經取得初步的成就，並且引起海內外學術界的關注。在短短的十二三年間，小榮的學術研究為什麼能有長足的進展？

我以為小榮的刻苦努力是第一位的原因。從中師畢業到碩士研究生，跨度不能不大，這期間，他要教書，要賺錢養家，是非常辛苦的。工作之餘，他靠著個人的勤奮自學，由中專而大專，由大專而本科，一步一個腳印，書籍就是他的良師益友，他所付出的辛勞，是常人難以想像的。現在，他已經是大學教授了，節奏本可以放慢一點，但他還是每天不午休，晚睡早起。看看他的現在，便可推想他的過去。除了專業之外，小榮還熟練地掌握了英語，並且能閱讀梵文佛典及法文方面的專業書籍。語言文字的掌握和運用能力，已經超過了不少同一年齡段的同行。

其次，在學術成長的道路上轉益多師，也是他迅速成長的一個重要原因。在南開，小榮從郝世峰教授，打下唐宋文學的堅實基礎；在復旦，他師從陳允吉教授，積累了較為扎實的佛典知識；在浙大，他又師從張湧泉教授，專攻敦煌學；；在本流動站，他回過頭來做中古時期的重要文史文獻《弘明集》與《廣弘明集》。小榮先後進南開、復旦、浙大，受到這些著名學府良好學風的薰陶。他還不斷廣泛地向海內外的名家請教，及時關注學術界的動態，和同輩學者或年紀稍長的師友有較多的學術交往，注意吸收他們的長處。

再次，小榮是以平常心來治學，不急不浮不躁，心平而氣和。孟子的「養浩然之氣」，是對思想家說的，或者是針對修身養性說的；韓愈的「氣盛」，是對古文家說的。在我個人看來，做文史研究工作的人，似更需要有一個氣和的心態。當今的社會，學術研究的評價體係並不完善，令人困惑的地方不少。例如刊物的級別，同是中國社會科學院文學研究所主辦的《文學評論》、《文學遺產》，前者在一些院校被確認為國家一級刊物或權威刊物，而後者不是；同樣都帶有「文史」二字的刊物，中華書局的《文史知識》被某些院校確定為核心期刊（我也是該刊的忠實讀者的作者，搜集有創刊以來幾乎全部的刊物），問題是，創辦更早的中華書局的《文史》和上海古籍出版社的《中華文史論叢》卻不算，似有欠公平。但仔細想來，理由當然也是有的，因為後兩種是以書代刊，有書號而無刊號，既然無刊號，怎麼能算期刊？怎麼算核心期刊？實在也是無可奈何的事。諸如此類，學者也當以心平氣和的態度待之。小榮研究的是佛學文獻，是敦煌學，他有時也為所發表的刊物不太為評價體係所重而不解，但他並不為此而煩惱、而憤憤然，論文該給《法音》還是給《法音》，該給《文史》還是給《文史》，該給《敦煌研究》還是給《敦煌研究》。面對紛繁複雜的評估體系，適應「遊戲規則」有時也是需要的，但過於趨時恐怕未必是好事。評估體系之外，社會上還有許許多多的誘惑，獎項、榮譽……眼花繚亂、目不暇接。一個正直的學者應有自己的學術評判和學術價值觀，還必須有一個良好的心態。

最後，小榮治學路子正，方法對。路子正，是指做學問從認真讀書開始。我這裡說的讀書，是指讀研究某一方向的基本文獻、基本典籍。例如小榮研究佛學，《大藏經》是他的必讀書。由於研究佛學，他還得讀儒家的經典和《道藏》，才能加以比較、分析，才能加深對佛學的理解。讀書是一件很花時間的事，但不多讀書，多思考，你怎麼會發現問題？怎麼去解決問題？關於研究方法，《〈弘明集〉〈廣弘明集〉述論稿》中有多處提及，例如第二章《永平求法說平議》就有一節《研究史述評及本文的研究思路》來專談這一問題，茲不贅述。我以為，研究方法有時是和研究態度相關聯的，躁競的心態，躁競的功利目的，其研究方法難免令人生疑。十餘年來，小榮沉住氣，心不旁騖，腳踏實地，潛心做他的學問，故而能走上學術研究的正道。

《〈弘明集〉〈廣弘明集〉述論稿》的出版，是小榮學術研究日漸成熟的一個標誌。小榮已經掌握海內外《弘明集》與《廣弘明集》的多種版本，整理《弘明集》和《廣弘明集》條件已經成熟（註九）。小榮現在只有三十五六歲，日後學術研究的路子還很長很長，我不敢以什麼「大家」之類相期許，但我相信他能進一步開拓眼界，不僅博采國內學者之眾長，而且能吸收國際漢學家研究的新成果，不必汲汲於一日之短長，沿著自己的研究的路子走下去，天地必然是寬闊的。學術研究，只有三分的耕耘，不大可能有太大的收穫；十分的耕耘，即使沒有十分的收穫，至少也有會有六七分吧？不知小榮以為然否。

乙酉暮春於福州煙山南麓華廬

註九：李小榮教授《弘明集校箋》二〇〇三年由上海古籍出版社刊行，未負我期盼，甚可慰也。

王玫《建安文學接受史論》序

鍾嶸《詩品》論漢魏至梁初詩，從東漢末年開始，一段時期的詩歌或文學，大多借用年號來表述，例如建安、正始、太康、義熙、元嘉、大明泰始、永明等。歷史上的年號，是很明確的，例如「建安」，它是漢獻帝的年號，從西元一九六年起，至二二〇年止；又如「永明」，為齊武帝的年號，起於西元四八三年，止於四九三年。但是，文學史上借用年號來表示某個時期的文學，起迄的時間可能就不完全與年號一致。通常講的建安文學，大約始於東漢靈帝中平六年（一八九）董卓之亂，

止於曹植過世的魏明帝太和六年（二三二），由東漢中平，至建安、延康，跨入曹魏的黃初至太和。永明文學，大體是指南齊武帝初年，中經南齊諸帝，至梁天監初沈約卒（西元五一二）一個時期的文學。鍾嶸借用年號來表述某個時期的詩歌或文學的做法，為後人所承襲，上個世紀以來的文學史著作和各種論著，在論魏晉南北朝詩歌和文學時也基本上採用這一表述。

鍾嶸所論述的各個時期的詩歌和文學（註十），建安詩歌或建安文學早已為六朝人重視。與鍾嶸同時代的劉勰，其《文心雕龍》一書在不少篇章中都給予建安文學很高的評價，對許多重要的作品給予中肯的品評。晚於鍾嶸的梁昭明太子，在其編纂的《文選》中大量選了建安作家的作品。唐代之後，對建安文學的推崇更是不勝枚舉。鍾嶸《〈詩品〉序》中還提出一個「建安風力」的概念，「建安風力」即「建安風骨」，後世的作家非常看重建安詩歌的風力或風骨。唐陳子昂曰：「文章道蔽五百年矣。漢、魏風骨，晉宋莫傳。」（《與東方左虯修竹篇序》）李白云：「自從建安來，綺麗不足珍。」（《古風五十九首》其一）又云：「蓬萊文章建安骨，中間小謝又清發。」（《宣州謝朓樓餞別校書叔雲》）陳子昂或李

註十：沈約的《宋書‧謝靈運傳論》、劉勰的《文心雕龍‧明詩》等，都嘗試為詩歌史或文學史分期，但鍾嶸的分期更為後人所接受。關於這問題，擬另撰文討論。

白是不是有貶低其他時代文學之意，不在這篇序討論的範圍，但是他們對建安文學特別推崇，則是肯定的。二十世紀以來、特別是近五十多年來，各種各樣的文學史和各種古代文學作品的選本，對建安詩歌、建安文學特別鍾愛，也是不爭的事實。對於大多數中文系的本科生來說，他們在課堂上所學到的魏晉南北朝的文學家，畢業之後還有較深印象的除了陶淵明之外，就數「三曹」、「七子」和蔡琰等建安時期的作家了。建安作家、作品或建安文學對文學史產生如此大的影響，當然不是一兩個批評家的功勞，而是建安作家、作品和整個建安文學本身一千多年來不斷展現出它的魅力，並為歷代的讀者、批評家、作家、出版商所接受的結果。

建安文學的研究，近五十多年來成為一個熱門的話題，所出版的專著、發表的論文、文獻整理和注釋的數量，在魏晉南北朝文學中可以和陶淵明、《文心雕龍》比肩。有關建安文學的論著涉及的範圍很廣，其中不少論著也有相當高的品質，在這種情況下，如何進一步深入地、富有創造性地研究建安文學，非常值得治魏晉南北朝文學者思考。王玫於一九九九年開始攻讀博士學位，選《建安文學接受史論》為博士論文的題目。王玫入學時已經出版過《六朝山水詩史》（天津人民出版社，一九九六年）和《人物志（評注）》（紅旗出版社，一九九七年），發表了有關六朝文學的許多論文，建安文學的研究有相當的基礎。

當然，選擇《建安文學接受史論》這樣一個論題來作博士論文，不是僅僅有良好的古代文學和文獻學的基礎就可以了，因為文學接受史的研究，或者是接受美學的研究，不可回避西方文論和西方比較新鮮的研究方法，換句話說，沒有一定的西方文論基礎要進行一項課題的研究是不可能的。而西方文論比較集中地介紹到中國來，中國的學者比較多地運用西方新的研究方法，大約是在上個世紀八十年代中期之後。王玫對西方文論和新的研究方比較關注，入學之前，已著手翻譯美國學者卡米拉·帕格利亞所著的七十多萬字的《性面具》（二〇〇三年由內蒙古大學出版社出版）。上世紀八十年代中期西方文論大量的譯介，在中國學術界產生很大的影響，但是，由於這股譯介的潮流來得比較迅猛，不少的學者沒有太多的思想準備，還有不少學者，特別是年輕學者逐趕潮流，刻意標榜，生吞活剝，以至食而不化，其末流的論著甚至大量出現名詞轟炸的現象，從而影響了西方文論和新方法論譯介的聲譽。一九九二年，我的《中古文學論稿》出版，《古典文學知識》記者問及治學態度時，我說道：「既不盲目趨時、趕時髦，又不抱殘守缺、拒絕接受新東西。」（《古典文學知識》一九九三年第一期）這一治學態度，至今我始終沒有改變。因此，對王玫的這一選題，我始終抱有很高的期望。經過了十幾年的時間，對西方文論和新方法論譯介，學術界已經採取比較冷靜的態度，學者對西方文論和新方法論的吸收和運用也漸趨成熟，我們看王玫的論文，絕沒有新名詞的堆砌，在理論和方法的運用上，大抵游刃自如，即使沒有讀過什麼西方文論和不太瞭解新方法論的讀者，讀她的論文也絕沒有太多的障礙。就這一點來說，論文應當是成功的，這也是建安文學研究的一個新突破。

建安文學的代表作家有十來人，由於他們各自的文學成就不同，也由於後世各個時期的政治、文化背景和接受者的修養、好尚的差異，不同朝代、不同時期甚至不同的受眾對它的接受也不盡一致。對這一問題的闡述，通常的方法是舉證說明。王玫在《建安文學接受史論》中運用了比較多的圖表和定量的分析方法，應該說效果也是好的。圖表或定量分析的方法是自然科學論文比較常見的方法，社會科學或人文科學的論著比較少用或不用。定量分析是一項非常瑣碎的工作，首先要認定統計的對象，其次要精心計算、核實，最後是分析。統計數字還不是結論，作者還必須對一些數字做進一步的分析，並從中提煉出分析的結論。王玫的這一嘗試是可喜的，這不單單是由於統計做得很仔細、很認真的原因，還因為統計分析的結論也是可靠的。

《建安文學接受史論》的寫作經歷了大約兩三年的時間，在寫作過程中，其中一些章節已先期發表在《文學評論》和《廈門大學學報》等重要學術刊物上。整部文稿已經完成近三年了，王玫獲得博士學位也已經快三年了，我一直催促她的論文儘早出版。年前，經上海古籍出版社高克勤先生的審查推薦，已經同意接受她的書稿，我為之高興。

一九八二年初，王玫在廈門大學中文系畢業後，留校執教。這一年我研究生畢業，從南京來福建師範大學工作。福建省的高校本來就不多，但彼此來往很少，交流也很少。一九八九年，福建省古代文學研究會在漳州成立，我和廈門大學的蔡景康教授當選為副會長，趁便我回了一趟廈門，經景康教授介紹，認識了王玫。當時王玫的住房似乎很小，印象較深的是籐椅藤桌，桌上攤開著一部《晉書》，景康教授說，王玫從事的也是魏晉南北朝文學的研究。一九九四年，我協助山東大學張可禮教授指導博士生林怡，一九九七年林怡的博士論文《庾信研究》順利通過答辯。一九九九年，我在福建師範大學開始招收中國古代文學博士生。這一年，我錄取了王玫和湯江浩兩人。王玫入學時已經當了七年的副教授，招收多屆的碩士生（她指導的研究生中有一名叫莊筱玲的女生，在校期間在《古典文學知識》發表了一篇古代文學與西方黃昏意象比較的文章，甚有靈氣，甚得王玫的文風）。就王玫當時的學術水平而言，博士是可考可不考的，當然，考取博士生之後會有一個比較明確的研究方向，作一篇水準較高的論文也並非壞事。王玫在廈門大學讀本科生時，有好事者稱之為「才女」。她間或寫些詩歌散文什麼的，還參加過「筆會」。後來，我才知道，她還會彈古琴——也許「才女」未必是戲稱。她現在住在廈門大學一個叫「淩峰」的社區，背依五老峰，面對無際的汪洋，松風海濤、南普陀寺的晨鐘暮鼓，生活於其間，修身養性，陶冶情操，讀書寫作，怡怡然自得自樂。當然，我也期待她不斷有新的成果問世。

一九八二年，曹道衡先生從北京前往南京主持我的碩士論文答辯；事隔二十年，即二〇〇二年，曹先生南來主持王玫的博士論文答辯。一九九二年我的《中古文學論稿》問世，承曹先生賜序；事隔十二年，即二〇〇四年，當他得知王玫的《建安文學接受史論》將要出版，又早早地寄來序文。曹先生是中國社科院文學研究所資深研究員，研究六朝文學的著名專家，兼任中國《文選》學會會長等職，他指導的博士生劉躍進、傅剛、吳先寧早已成名。二十多年來，曹先生始終關心我的學術，而且惠及我的學生，除了王玫，我指導的碩士生林女超、博士生林怡（協助張可禮教授指導）、湯江浩、葉楓宇都是經過曹先生答辯或撰寫論文評語後獲得學位的。曹先生年事漸高，近年較少出京，借此機會，遙祝先生身體健康。

乙酉春於福州煙山南麓華廬

附記：昨天，也就是二〇〇五年五月九日下午，劉躍進兄從北京打來電話，說曹道衡先生於當日上午十一時病逝。二〇〇二年六月初，曹先生前來福州主持王玫答辯，我陪先生去平潭，先生有些疲憊；次日，我送先生上機場，先生似不經意地說，不知還有沒有機會再來。我一向不太相信讖語讖詩一類的話，但是當時還是不覺一楞。曹先生病篤已經半年有餘，去秋，我到北京參加國際地方文獻研討會，曾前往北京醫院拜望，當我離開醫院那一刻，鼻子不覺一酸，害怕一去將成永別。本文文末，曾遙禱曹先生早日康復，但是，一切已經徒勞，文星還是隕落，哀哉！從此，中國失去一位成績卓著的文學史家，中國社科院失去一位德高望重的研究員，我失去了一位好老師。在本文付排之際，附記數語，以期追念。

陳慶元識於二〇〇五年五月十日午後

劉福鑄、王連弟《歷代媽祖詩詠輯注》序

二〇〇五年十月，《文學遺產》論壇和編委擴大會在四川南充西華師範大學舉辦，我在會上作了《海洋文化視野下的中國海洋文學》專題發言。發言的主要觀點是：中國海岸線很長，海洋文化的內容極其豐富；相對於邊塞、都市、田園、山水（內陸江河）等文學的種類，海洋文學似不夠發達，我們對海洋文化和中國海洋文學的發掘、研究也很不夠；當代的文藝作品中，有關於海洋的小說、戲劇和電影電視也偏少，且缺乏優秀之作。

十一月中，莆田學院中文系主任王連弟教授讓該系青年教師蔡小燕來接我去講學。據蔡氏譜，小燕是蔡君謨的後人。上世紀九十年代初我校注《蔡襄全集》，對蔡襄作了比較深入和全面的瞭解。蔡襄是興化軍仙遊人，卒後葬莆田。莆田和仙遊今都屬於莆田市。蔡君謨鍾愛家山，所著《荔枝譜》，盛稱莆陽荔枝，名號多達數十種，如數家珍。蔡集還有一篇《和龐公謝子魚荔枝》詩。宋代，子魚是莆田的特產，味道之美天下無雙。子魚，又稱通印

▼劉福鑄

▼王連弟

子魚，或印子魚。王安石有「長魚俎上通三印」詩，蘇軾有「通印子魚猶帶骨」之句，黃庭堅則云：「子魚通印蠔破山。」嚴有翼《藝苑雌黃》亦云：「通印長魚，古人以食味之珍。通印者，言其大可容印。」（均見《輿地紀勝》卷一百三十五《福建路興化軍》「子魚潭」條）幾次過莆，都是匆匆忙忙的，這一次比較從容，在莆田過了夜，不僅有機會到莆田圖書館看書，而且得便向長於莆地掌故的人士請教。王主任是前幾年從東北引進的教授，小燕年紀輕，故輾轉問到了該系的一位老師劉福鑄副教授。小燕說，劉福鑄老師搜集了許多莆田的資料，於莆事幾乎無所不通。

十二月，小燕帶來《歷代媽祖詩詠輯注》，說王主任讓我為此書作一序。此書系莆田學院媽祖文化研究所與漢語言文學系合編，主編為劉福鑄、王連弟，副主編是蔣維錟。蔣維錟先生二〇〇一年已輯有

《天后宮題詠》一書，該書已搜集歷代有關媽祖的詩兩百二十多首，《歷代媽祖詩詠輯注》則在蔣輯的基礎上廣為搜羅，擴大篇幅，並加以校訂、注釋，終於完成了這部數十萬字的新輯注本。王連弟教授是中文系主任，有很強的號召力和組織能力，業務上又有威信；劉福鑄副教授精通莆事掌故，十數年如一日，孜孜於莆田文獻的搜集與研究，加上全體參與工作的教師的努力，輯注本終於比較完滿地問世了。

《山海經》卷十《海內南經》反復提到閩海：「閩在海中，其北有山。一曰閩中山在海中。三天子鄣山在閩西海北。一曰在海中。」不管是閩在海中，還是閩中有山在海中，上古之時人們對閩地的認識是將它與海連繫在一起的。西漢元封初伐東越，遣橫海將軍韓說從海上至閩，可見當時人們已經知道利用海路交通與閩地聯繫。三國吳建國江南，侯官（今福州）是當時造船的一個重要基地。西晉末年孫恩、盧循的農民戰爭、南朝陳天嘉間章昭達追討陳寶應、隋開皇間楊素平泉州王國慶等，都利用了福建的海路。五代時，閩王王審知、泉州刺史王延彬都非常重視海上貿易。王審知治閩，「招來海中蠻夷商賈」（《新五代史》卷六十八《閩王世家》）；王延彬「多發蠻船，以資公用，驚濤狂飆，無有失壞。郡籍之為利，號『招寶侍郎』。」（《泉州府志》卷六十九《封爵》）「招來海中蠻夷商賈」、「發蠻船」，當然是雙向的，就是說，五代時福州至泉州之間的沿海，不僅閩商常有船隻出海與外界貿易，海外商船也不時前來做生意。到了宋代，尤其是到了南宋，福建的海上貿易進一步發展，中央在福建設立市舶司（相當於海關）一類的機構，泉州港也成了世界聞名的大港。

古代船舶的製造技術上不免有較大的欠缺，航海方面的相關科學知識也還比較落後，碰上巨風等自然災害，不僅是防禦能力差，遇險的救援條件也差，王延彬的泉州船「無有失壞」的說法多少值得懷疑，即便確切不誤，但船舶一出海擔驚受怕也就隨之而至。晚唐五代閩詩人黃滔《賈客》詩有云：「大舟有深利，滄海無淺波。利深波也深，君意竟如何？鯨鯢鑿上路，何如少經過。」黃滔詩教人不要為深利而涉滄海，但所說海上貿易風波不測、危險大卻是不爭之事實。南宋末年理學家熊禾，則說：「錙珠較鷺股，漏網魚吞舟。」（《上致用院李中知論海舶》），熊禾是建陽人，對海上貿易知道不多，觀念陳舊，或許把航海的艱難看得重了一點，但是，古代海上航行確實不夠安全，帶有更多的冒險性。靠山吃山，靠海吃海，海上貿易固可給一些人帶來財富，但是，福建沿海地少人多，不靠航海做貿易，民則無以為生，這一點，宋元以至明清福建沿海大多數的民眾（包括鄉紳和閩籍官員）都是這樣來認識這個問題的。

海是一定要出的，但出海又有生命之虞，因此人們希望有一位善良、有愛心的人或神來保佑出海者的生命安全，在漫長的歲月中，護佑航海安全的媽祖就這樣產生了。莆田一地，介於福州與泉州之間，研究古代海上交通者較少提到莆田，或許是因為福州與泉州古代海上交通太發達了，掩蓋了莆田之名；還有一種可能，言泉州則包括莆田在內。唐・李吉甫《元和郡縣志》卷二十九，「莆田縣」條，「大海，在縣東一十五里。」興化軍未建之前，莆田、仙遊二縣屬泉州，宋太平興國四年（九七九）「以泉州莆田、仙遊二縣隸軍」。莆田縣有「壺公山、大海」（宋・王存《元豐九域志》卷九「興化軍」條）。宋・祝穆《方輿勝覽》卷十三「壺公山」條引晚唐五代翁承贊詩云：「井邑斜連北，蓬瀛直倚東。秋高岩溜白，日上海波紅。」又「湄洲山」條云：「去郡東北七十里，與流求國相通。」唐宋時期的地理學家，都非常重視莆田一地東臨大海的事實；所謂「與流求國相通」，當可以說明莆田宋代海上交通已經達到相當高的水準。

據傳媽祖姓林名默（或稱林默娘）就誕生在湄洲嶼（一說與湄洲嶼一水之遙的湄洲灣港里村），北宋初年人，僅活了二十八歲，默娘從小能鳧水駕舟，急人之難。雍熙四年（九八七）秋，風雨大作，默娘在海上救助船民，不幸被巨風捲走。人們為這位善良的海邊女子之死感到悲傷，希冀她的靈魂能夠升天，父老即其地而祠之，名曰「聖墩」。此後，默娘並不斷被神化，並且成了海上航行者人人敬仰的保護神。宋代，廟已有「順濟」、「靈妃」等稱；元至元初，封「善慶顯濟天妃」。後世遂以其宮為「天妃宮」，俗又稱「媽祖廟」。

最早歌詠媽祖的詩歌不知始於何時，本書所錄最早的是廖鵬飛的《聖墩祖廟迎神歌》、《聖墩祖廟送神歌》二首。廖鵬飛，南宋紹興時邑人。這兩首詩值得注意的有兩點：一是詩從《白塘李氏族譜》中輯得，《全宋詩》未收，足見編者用力之勤。二是稱「聖墩」為「祖廟」，可見南宋初年默娘之廟已有多處，而以此廟為祖。劉克莊是南宋莆田籍大詩人，亦作有數首有關媽祖的詩歌，其《白湖廟二十韻》云：

靈妃一女子，瓣香起湄洲。巨浸雖稽天，旗蓋儼中流。駕風檣浪舶，翻筋斗韆鞦。
既而大神通，血食羊萬頭。封爵遂綦貴，青圭蔽珠旒。輪奐擬宮省，盥薦皆王侯。

始盛自全閩，俄遍于齊州。靜如海不波，幽與神為謀。營卒嘗密禱，山椒立獻囚。
豈必如麻姑，撒米人間遊。亦竊笑阿環，種桃兒童偷。獨於民錫福，能使歲有秋。
每至割獲時，稚耄爭勸酬。坎坎擊社鼓，嗚嗚纏蠻謳。常恨孔子沒，豳風不見收。
君謨與漁仲，亦未嘗旁搜。束皙何人哉？愚欲補前修。緬懷荔台叟，紀述惜未周。
迎山豈無石？可以礱且鎪。吾老毛穎禿，安能斡萬牛！

從此詩我們得知，北宋時默娘之名還不甚顯，故尚未引起著名鄉人蔡襄的注意，他的著述未曾載述（鄭樵雖為南宋人，作為史學家，他的注意力集中在志書方面）。南宋時，被尊為神的靈妃，神通廣大，在她的護佑下，海靜無波，平安無事。她不僅是航海的保護神，而且也護佑戰卒獲捷虜囚；她還能賜福於民，歲歲豐稔。劉克莊對當時靈妃形象的描繪：手執青圭，頂蔽珠旒，儼然宮中妃后。我們現在看湄洲媽祖祖廟，媽祖的真身與當年詩人的描述似無太大不同，可見其由來有自。劉克莊還告訴我們，當年靈妃的信仰，不僅已遍及全閩，已經傳至九州。如今媽祖廟不僅中國沿海各地隨處可尋，內陸的不少地方，甚至域外、直至遙遠的美洲也可見其蹤影。媽祖已經成為一種民間信仰，一種民間文化，而這種信仰和這種文化正在受到越來越多的人的關注和興趣。

以上我們僅舉兩個例子，就足以說明歷代媽祖的詩歌有著很重要有研究價值。劉福鑄和王連弟主編的這部詩輯達數百首之多，並加以注釋，其學術價值自不待說。過去我也曾留心過歷代的媽祖詩，但收穫甚少，所以我不能不佩服這部書的輯注者。上文我說過在西華師範大學的講演，當時我說中國的海洋文學不夠發達，讀了《歷代媽祖詩詠輯注》後，我必須修正這一看法，不是海洋文學不夠發達，而是自己留心不夠，關注不夠，劉福鑄、王連弟等搜集到這麼多的媽祖詩，給了我許多的啟示：中國海洋文學原來是這麼地豐富多姿！

小燕把這部書的列印稿送來我處已經一個多月了，忙固然是一方面，但不能說一點餘閒都沒有，但有限的餘閒又常常缺乏寫作的情緒，所以一直擱淺。學校已經放假一周，這兩天推卻了某些社會活動，調節了情緒，趕在春節之前寫下上面的文字為序。

乙酉臘月二十八於福州倉山華廬

徐安琪《唐五代北宋詞學思想史論》序

「槐花黃，士子忙」，古人一到槐花黃的時候就忙著準備應試。而五、六月間，在我出生並且在那兒長大的海島城市廈門，鳳凰花開，滿天映紅，在這樣的時節裏，當下中國高校的教授們也是最忙碌的時候。進入二十一世紀，隨著博士點、碩士點的大量增加，五六月間，又是看論文，又是答辯，有時都弄不清楚這樣的日子是怎樣過來的。但是，看論文和答辯，也是樂在其中的，尤其是看到那些有新見的優秀論文時尤其是這樣，去年的五六月間，審讀徐安琪的博士論文《唐五代北宋詞學思想史論》，就感到特別高興。

近三十年來，唐五代、兩宋詞的研究長足發展，並且取得了豐碩的成果。唐五代、兩宋詞的研究，範圍包括這一特定時期的詞人、詞作、詞集和文獻的研究，還包括這一特定時期的詞學理論、詞學批評、詞學美學、詞學史以及詞學思想史的研究等，而其中詞學思想史的研究則是一個相當薄弱的環節。文學思想史，本質上屬於思想史研究的範疇，徐安琪說：

「詞學思想史乃是歷代詞學家對詞這種文學樣式的歷史性見解和觀念，要研究和描述的是歷代詞學思想的發展脈絡。」（《唐五代北宋詞學思想史論·緒論》）近三十年來，文學思想史研究的標誌性成果，當首推羅宗強先生的《魏晉南北朝文學思想史》（中華書局，一九九六年版）。繼《魏晉南北朝文學思想史》之後，羅先生又推出《隋唐五代文學思想史》（中華書局，一九九九年版），張毅先生也出版了《宋代文學思想史》（中華書局，一九九五年版）。徐安琪的《唐五代北宋詞學思想史論》將詞學理論、詞學批評與詞的創作結合起來考察，將詞學理論批評研究轉化為詞學思想史研究，「旨在把握唐五代北宋時期人們對詞體的認識、探索與審美追求，建構原創性的詞學思想體系」（《唐五代北宋詞學思想史論·緒論》）。這部詞學思想史初步建構了原生態唐五代、北宋詞學思想史的體系，也可能是第一部正式出版的斷代的分體文學思想史著作。

安琪生在大別山區、長在大別山區，現在執教於武漢的華中科技大學，二〇〇二年考上博士研究生。安琪考博之前對唐五代、北宋詞學思想已有涉獵和初步的研究，二〇〇二年第四期《文學遺產》發表過她的一篇萬餘字的《宋初詞學思想探微》。在和安琪探討博士論文選題時，她有意做整個唐五代及兩宋詞學思想史的研究。這樣的考慮當然是很好的，因為這樣寫，可以「觀前顧後」，即寫唐五代、北宋時，可以顧及南宋；寫南宋時，又可前觀唐五代、北宋，作為一部斷代的分文體的文學思想史，時間跨度更大，可能更加完整全面。但是考慮到時間的緊迫，最後商定先寫唐五代、北宋，南宋留待畢業之後再續作。

研究詞學思想史，和研究詞學批評理論一樣，都必須從原始的詞學資料入手，比較南宋而言，唐五代、北宋詞學資料如詞話、筆記、序跋要少得多，因此研究唐五代北宋的詞學思想史也比研究南

宋有更多的難度。安琪這部詞學思想史著作的最大創獲是她的寫作充分地利用了詞家的詞作，從紛繁眾多的詞作入手來研究詞學思想史。詞話、筆記、序跋對詞的評論、解說、分析、欣賞，大多是當代人或後人研讀了詞作之後的心得或由此抽繹出來而形成的理論，當然是研究詞學思想史的很重要的資料。如果在研究一個詞學家、一個詞學流派之時，詞話、筆記、序跋的資料缺少，甚至闕如，詞家本來就沒有留下什麼論述，同時代的人也沒有更多的闡發，在這樣的情形之下，研究他們的詞學思想，會不會茫茫然束手無策呢？當然，簡捷的辦法是繞道，或者輕描淡寫幾句，這樣做或許也能得到學界的同情、理解，但是這樣做，一部詞學思想史就將失去它的完整性和嚴肅性。安琪反復研讀詞家的詞作，從文本入手，從原始作品入手，不僅解決了這一難題，而且在論述時增大了可信度。

唐五代詞學的演進，敦煌詞為椎輪大輅之始。但是，敦煌詞流傳至今的只有唐人編的《雲謠集雜曲子》三十首和散見的一六九首，共計一九九首，沒有更多的文字資料可供研究敦煌詞學者參考。安琪分析、排比這一九九首詞之後，在其《敦煌詞的詞學思想》一節寫下三點結論：敦煌詞體功能意識表現在緣題所賦與抒寫哀樂的寫實精神；而其特質，則呈現出鮮活生動的原始形態之美；至於敦煌詞的審美理想，則可歸納為「朴拙自然」。本節與《南唐詞人的詞學思想》、《北宋初期的詞學思想》等節章，那個時期的人都沒有留下稍稍完整的理論闡述文字，安琪都是在仔細研讀這一篇篇具體的詞作之後，經過認真的思索，加以分析提煉而形成自己觀點的。

柳永、蘇軾、周邦彥、李清照等詞學家，其詞學理論和詞學思想備受歷代研究者的關注，也備受今人的關注。例如柳永，自李清照以為柳詞「變舊聲作新聲」（《詞論》）之後，直至當今的各種教科書，也都是眾口一詞，沒有任何疑義。那麼，柳詞到底如何「變舊聲作新聲」的呢？不是沒有人作過論述，只是論述可能較為空泛，或者缺乏精確度。安琪列了一個長表，將柳詞兩百一十五首作了統計，總計：詞調一百三十一，宮調十七，慢詞一百〇二。自度新曲：五十二調六十五首；翻演舊曲：三十七調五十九首；宋初流行調：二十二調三十七首；唐五代詞調：二十二調五十四首。經過分析，安琪得出這樣的結論：《樂章集》有一百三十一詞調，翻演舊曲與自製新曲者合計八十九調，「創調之多，兩宋詞人無出其右」。柳永在新聲曲調的製作中表現出傑出的音樂才能。其次，柳永大量創制長調，《樂章集》有長調七十支，慢詞一百〇二首，其中變舊聲作新聲者五十八調（翻演舊曲二十七調，自製新曲三十一調），詞八十一首（翻演舊曲四十五首，自製新曲三十六首）。數字是最好的也是最有力的證明：柳詞具有強烈的創新意識。

安琪的文字，簡淨，絕去浮華，如同她的人一樣。

今年三月，安琪特地利用雙休日趕來福州參加她的師妹的婚禮，非常不巧，我正好渡海去了金門，只能通過長話寒暄兩句。安琪獲得學位回武漢一年了，她此時大概又在忙於判卷，登分，或者找她的碩士生談論文，叮囑他們要利用假期好好抓緊；或者到外地上函授課。安琪做事總是這樣一絲不苟。在認識安琪之前，我就認識安琪在湘潭大學讀碩的幾位老師；在認識安琪之前，我先認識了她的多位原湘潭大學的研究生同學；在認識安琪之前，我更早地就認識了她的先生。如果問他們安琪對做學問的態度，他們的回答是兩個字：執著；如果問安琪的為人，他們的回答也是只有兩個字：善良。

《唐五代北宋詞學思想史論》書稿完成後，幾經修改，人民文學出版社古代室的周絢隆、宋紅兩先生對此書相當看重，很快就列入出版計畫。六月二十四日在安徽蕪湖召開的曹道衡學術思想研討會上，不期遇到周絢隆先生，他又熱情地提起此書。安琪讓我在此書出版前寫幾個字，我的學生中已經有好幾位在人民文學出版社出書了，現在又加上安琪，如果問我此時的心情，回答只有兩個字：高興。

二〇〇六年六月三十日福州煙山南麓華廬

藍雲昌《風生閣詩詞》序

建國之後的大學教育，有兩個階段頗有缺失：一個是七十年代招收的「大學普通班」，入學不考文化課，「先天不足」，入學後的主要任務又是「上管改」，就總體而言，其效果可想而知。一個是「老五屆」，即一九六六年至一九六九年畢業的學生，「後天不足」，他們雖然經過考試入學，但入學後「運動」不斷，最後導致全面停課，不少學生只上過1-3年的課程。我也屬於「後天不足」之列，除了聽幾堂時代色彩很濃的文學概論、文選課之外，好像沒有什麼

像樣的專業課程可聽，稀裏糊塗就算畢業了。畢業分配工作，不是到「軍墾」，就是到農村，大家很快星散。若干年後，時間老人又把星散的同學慢慢聚集在一起，於是，有了同學的集會，開始是小型的，到了畢業三十年，演變成大集會。畢業後三十年間，大多數人仍然堅守著自己的教職，一部分從政，少部分則去經商。

三十年集會之後又過去若干年了，我和雲昌兄仍然從教。三十多年來，如果說稍有不同的話，那就是我比雲昌兄幸運些。上世紀七十年代末，已經三十出頭了，我從一所山區的中學再次進了大學的校門，讀了三年的研究生，隨後轉到高校。雲昌則一直在山區的中學執教，直到近年才調到一個地級市的教育研究所，其時，離他退休的時日已經不遠。不久前，雲昌兄送來一疊詩稿，名曰《風生閣詩詞選》，他說讓我先看一看，打算拿去出版，還說讓我為之作序。

一九八七年夏天，福建師範大學在武夷山辦了一個詩詞鑒賞研討班，主辦者讓我去講了一次課。參加研討的大多數是中學語文教師，都有哪些人，除了雲昌兄，其他的人都忘記了。從一九六八年大家星散之後，到一九八七年，其間二十年間，沒有和雲昌兄見過面。那次見面，我盡力搜索大學期間對雲昌兄的記憶，但是一無所獲。我在一篇文章中說過，大學期間，同年級的同學我都未必遍識。我和雲昌兄那個班的同學住在同一座樓，抬頭不見低頭見。來到武夷山一見面，似乎有點印象。研討班的學員，雲昌兄算是年紀稍大的一位，又是昔日的同窗，所以有較多的交流，記得我們還合影留念。現在讀雲昌兄的詩稿，才知道在我們見面之前的數年，他已經致力於詩詞的創作了，他來參加研討，不完全是為了提高教學，可能也是為了提高個人在古典詩詞方面的素養。

又過了二十年，雲昌兄創作的詩詞終於要結集出版了，真為他高興。詩詞寫作的甘苦、冷暖，當然只有雲昌兄本人知道。這本《風生閣詩詞選》，存錄的都是舊體詩詞，其實，雲昌兄除了攻舊體之外，也寫過不少新體詩；詩詞之外，還創作過許多散文。可謂勤矣！近年來，教育界和社會都很關心中學的語文教學改革，關心作文的教學改革。我個人以為，其中首要的問題，也是最重要的問題就是如何提高語文教師的語文素養，提高語文教師的寫作水準。我們的部分語文教師，從大學中文系畢業之後，幾乎不再閱讀高雅的文學作品，幾乎不再寫教案和總結之外的文章，若干年、十數年以至數十年過後，他們的閱讀欣賞文學作品的水準，寫作水準，可能還停留在大學畢業時的水準，甚至比大學畢業時的水準還有所下降。有些教師，熬年頭熬到可以評高級職稱了，拿去發表和送審的文章，竟然還是大學時代的畢業論文！問一些年歲稍大一點的人，你在中學時代對哪位老師印象比較深，不少人也許會回答：語文老師。為什麼是語文老師？因為他（她）的書讀得多，文章寫得好，課又講得生動！如果再問有點成績的作家或文學研究者，你是怎樣走上愛好文學道路的，很多人也許會說，受中學語文老師的影響，因為那位或那幾位老師書讀得多，文章寫得好。我對雲昌兄執教的情況不大瞭解，但是，可以深信，他數十年來詩詞散文創作的實踐，必定對他的學生們產生或明或暗，或有形或無形的影響；可以深信，他的這種影響，在他所執教的學校中，甚至縣城中，是其他的教師所難於替代的，而且這種影響也許還將持續一段較長的時間。多少年來，我一直感歎，我們福建省的語文教師中，能從事寫作和研究的教師太少，能給學生起創作和研究示範的教師太少。現在號稱名師的越來越多，學科帶頭人越來越多，省市教學骨幹也越來越多，但能給學生起創作或研究示範的教師有多少？如果我們的語文教師有三分之一，不，那怕有十分之一、甚至百分之五的教師比較喜歡創作，或者能夠從事文學、語言的研究，那麼，我們福建省的語文教育將會有長足的進步。

中國是一個享有詩歌盛名的國度。自從有了《詩經》、《楚辭》以來，詩歌幾乎成了中國舊體文學中的主要文體（漢代或是一個例外，賦體更加突出些），那怕號稱宋詞、元曲、明清小說的宋、元、明、清各朝代，詩歌創作的數量都大得驚人。在咱們福建，更是詩人輩出，清初，詩人周亮工遊宦閩省，他甚至感歎道，莆田以上至會城，讀書人家幾乎沒有不會做詩的；莆田以下雖然稍遜一點，也非常普遍。「五四」以來，新文學讓位舊文學，舊體詩逐漸讓位新體詩。但是晚清的「同光體」閩派詩人，在上世紀二三十年代，創作熱情仍然熾熱依舊，其中一些人（如何振岱、李宣龔）的寫作則一直延續到五十年代（何振岱的女弟子劉蘅以其百歲的高齡舊體詩詞的創作更持續到九十年代）。建國以來，在舊體詩不宜在年輕人中提倡的倡導下，舊體詩詞一度衰微。七十年代末、八十年代初，久旱逢甘霖，舊體詩詞出人意外地復蘇，各地的詩詞學會、詩社，春筍般破土而出。我沒有作過精確的統計，僅從我們省某些地市每年都出版一本舊體詩詞集的狀況來分析，無論是創作的人群，還是創作的數量都不可低估。可惜，這一文學現象，並未能引起文學史家和文學評論家的足夠重視。雲昌兄的《風生閣詩詞選》就要出版了，想起這一話題，故借此序稍說幾句，相信我們的文學史家和文學評論家對「五四」以來直至當今的舊體詩詞會給予更多的注意。

雲昌兄和我一樣，在大學本科階段沒有聽過一堂古代文學課，也沒有研修過舊體詩詞。不過詩詞的寫作並不是課堂上就能學會、學好的。雲昌兄寫作舊體詩詞，靠的是自己長期的摸索和實踐，至今已卓然成集，我很為他高興。這部《風生閣詩詞選》從大量創作中選錄了其中的一百一十二首。這一百一十二首詩，當然不是作者長年創作的全部。作者把這一百一十二首詩詞分成《尋勝篇》、《詠物篇》、《感事篇》、《斫劍篇》、《品茗篇》、《讀人篇》和《采風篇》七部分。平心而論，作者平生游蹤不算特別廣，閱歷也不能說十分豐富，但是作者無論是尋勝、采風，還是感時詠物，都寫出自己的感受和真情；無論是讀書觀畫，還是品鑒人物，都有自己的眼光和見解。經過二十多年的摸索和實踐，作者舊體詩詞藝術表現能力也趨於成熟，作品也有一定的感染力。雲昌兄有些舊體詩詞的語言，還不失幽默和詼諧，體現了自己的特點。

「老來漸於詩律細」，老杜詩也。杜甫說他年紀越大，於詩歌藝術的追求愈加精細。隨著年歲的增加，雲昌兄對舊體詩的寫作也越來越癡迷，相信他對舊體詩的「詩律」——無論是在格律方面，還是遣詞造句方面，都會越來越精越細。雲昌兄已從將樂縣移居福州市，並在福建省詩詞學會秘書處協助工作，與會城的詩人有較多的交往。隨著見識的日廣，對世事的體味日深，與詩友的切磋日多，積累日厚，一定可以寫出更多更好的作品，期待著若干年後能讀到他的《風生閣詩詞續集》。

這篇序斷斷續續寫了很長時間。雲昌兄《風生閣詩詞選》從電郵上傳給我之後，一直存在電腦裏。上個月初我從臺灣回來，開始動筆。後來去了澳門，又去了重慶。在重慶渝北區的統景溫泉寫了千餘字，回福州後又去了廈門，又在廈門的金後賓館寫了千字，最後又帶回福州將這篇三千字的序寫完。從雲昌兄交給我文稿到現在，拖了好長的時間。雲昌兄不責不怪，不催不促，正因這如此，反倒有點不好意思，只好請雲昌兄諒解了。

二〇〇六年十二月十日於福州煙山南麓華廬

林東源《堅守守在荒寒之路——陳衍評傳》序

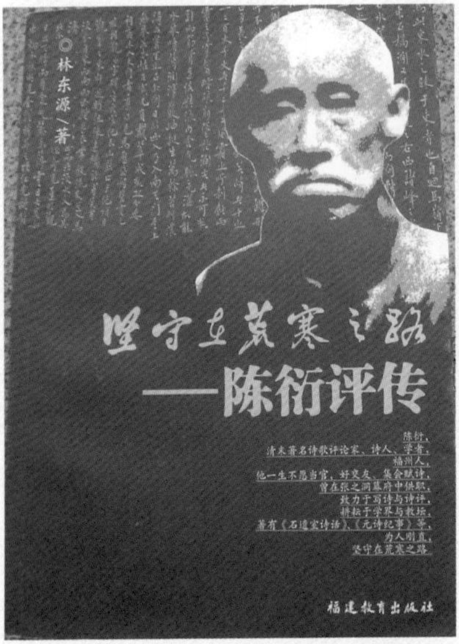

已近歲末，盤點一年來寫的文章，其中有一篇是年初寫的《陳衍〈金門洪景星先生墓誌銘〉書後》，發表在《炎黃縱橫》第五期上。我見到的《金門洪景星先生墓誌銘》，系洪景星的後人展示的墓誌銘拓本。此文《石遺室文集》不載。也就是我在寫那篇短文的同時，東源正在緊張地纂寫《堅守在荒寒之路——陳衍評傳》的書稿。

東源執教於福建金融職業技術學院。我

認識東源早在上世紀八十年代初。東源是「老三屆」中的高中生，恢復高考後考上南平師範專科學校，並以優異的成績畢業、留校任教，不久即調到福建銀行學校（後改為今名）。那時我也剛到福建師範大學工作不久。二十多年前的辦學規模比現在小得多，學校少，招生數也少。福建師範大學當時辦有夜大學，其中一個班是中文「專升本」的，入學還要經過嚴格的考試。這個班的同學大多是七七或者或七八級的專科畢業生。那兩年招生、特別是七七級，「大齡」考生儘管成績優異，本科院校往往不太願意招

收他們，不少「大齡」考生因此就落到專科院校和科系。東源和他的許多同學「專升本」的背景大抵如此。那時我研究生畢業不久，有幸給這個班的同學授課，如果不是「文革」的原故，我和他們大概就是前後屆的同學罷了。二十多年過去了，這個班的同學大多發展得不錯，有的還擔任了相當重要的領導職務，東源則一直在學校教書，並且好多年前已經晉升為副教授了。二十多年間，和東源一直有著來往，因為我們有一些共同的朋友，如原來也是任教於南平師專後來調到公安專科學校的章廷泗先生、原來和我同在武夷山任教後來調到銀行學校的鄭秀清先生等，當然，更重要的是，我們對中國古代文學都有比較濃厚的興趣。

這幾年，除了教學，東源還擔任了一點行政工作，很忙。儘管如此，東源仍然很刻苦，教學和工作之餘，還編寫了供金融院校使用的《應用寫作》教材，參加了我主編的《大學語文》的編撰工作。東源還前後兩次來跟我做高級訪問學者，研治福建近代文學。最近的一次，我們商定了《陳衍評傳》這樣一個題目，作為訪學期間的課題。

陳衍（一八五六－一九三七），一生著術甚富。陳衍以《石遺室詩話》名世。《石遺室詩話》已有兩個點校本，並且已有多篇的研究論文發表，但不容諱言，目前學界對《石遺室詩話》研究還比較膚淺。在近現代交替之際，陳衍的成就是多方面的，遠非一部《石遺室詩話》所能代表。從舊學來說，他是「同光體」詩派的宣導者和代表詩人；他對經學和史學也有精深的研究。新學方面，他對經濟學和金融學也有相當的研究，甚至還有譯著。就陳衍的生平而言，論者比較多地看到他是清朝舉人的一面，而較少重視他在張之洞幕府一系列的革新思想。於教育方面，較多議論的是他在無錫國專的情況，很少關注他在京師大學堂和廈門大學執教的業績。為了能全面地瞭解陳衍的生平思想以及學術成就、詩歌成就的方方面面，東源對陳衍的研究，採取了評傳的方式。因此，這部《陳衍評傳》是一部全景式的對陳衍進行研究和評述的專著。這樣的寫法，最大的好處是讓讀者對陳衍有一個全面的瞭解，可以消除歷來對陳衍的某些誤解。東源寫這部書，很努力，也很費心血，查閱了不少文獻資料，做了大量的筆記，有些章節多次易稿，的確也解決了不少的問題，提出了不少新鮮的見解。當然，評傳也有評傳的弱點，在一些具體問題方面，評傳可能比不上專題研究的論文那樣深細，這是評傳這種文體使然，而不應對作者作過多的苛求。實際上，作者在撰寫本書的過程中，對陳衍學術思想的某些評傳難於表述或論述的問題，已另用論文的形式進行寫作，其中有的論文已經發表，有興趣的讀者可以找來一閱，或許能起到相得益彰的效果。

前幾年，到我這兒從事高級訪問學者的張帆教授和劉建萍教授，在他們結業的時候，分別完成了《末代帝師陳寶琛評傳》和《詩人何振岱評傳》兩部著作，隨後他們又和閩江學院中文系的同仁們一道編纂了《同光體閩派詩歌評析》一書，將同光體閩派的研究大大推進了一步。現在，東源的《陳衍評傳》又將出版了，同光體閩派的研究又有了新成果出現，為之欣喜。福建近代文學是一個豐富的寶庫，還有非常之多的課題需要研究，現在，福建師範大學文學院有幾位博士生正在做這方面的課題，或能彌補某些缺憾。但是我們福建省還很少有專家專門從事這項工作，整體的研究隊伍也還沒有完全形成，研究力量也還比較薄弱。不過，我個人對福建近代文學的研究還是抱著樂觀態度，相信研究隊伍會越來越壯大，成果會出版得越多、越好。期待包括東源在內的同好們一起推動吧！

二〇〇六年十二月十二日於福州烟山南麓華廬

田彩仙《漢魏六朝文學與樂舞關係研究》序

《詩大序》說：歌唱如果還不足以表達自己的思想情感，手腳就會在不知不覺中隨之舞動起來。這一論斷，歷來都被研究文學藝術者所引證。但是，如果僅從字面來理解，歌唱和舞蹈之間似乎有一個孰先孰後的問題，即歌唱不足以表達思想情感，隨之才有舞蹈的產生。當然，還有一種可能，那就是中國古代的文論，一般說來，語言都比較簡略，有時會有「言不盡意」、或者「辭不達意」的現象。《詩大序》作者的原意或許是：歌唱與舞蹈是兩個不同的藝術門類，有時可以只奏樂或只歌唱而沒有舞蹈；有時，也只有手舞足蹈，而不一定伴之以樂或歌唱。但是歌唱與舞蹈這兩種藝術門類本是互相關聯的，歌唱之時不知不覺伴之以舞蹈，更具形象性，以視覺的美感加強聽覺的效果；有時舞蹈之不足也需要伴之以音樂或歌唱，使舞蹈更加富有節奏，以聽覺的美感來加強視覺的效果。歌唱，又可以有兩種情況，一種是只有歌調、歌曲而無歌詞的，另一種則是有歌調、歌曲又有歌詞的。在歌與舞的配搭上，也同樣存在兩種情況，一是在舞蹈的過程中，配以沒有歌詞的歌調、歌曲；另一種是，舞蹈的歌調、歌曲是有歌詞的。歌調、歌曲的歌詞，漢代稱之為「歌詩」。漢初成立專司音樂的樂府機關，樂府機關的任務之一是搜集民歌，因此也就把樂府機關搜集到的民歌也叫作「樂府」，樂府的歌詞也就是「歌詩」。如今，我們則把漢魏晉南北朝樂府中的歌詞（含郊廟歌辭、燕射歌辭、鼓吹曲辭等雅樂），統稱之為「樂府詩」。

如此看來，作為藝術門類的音樂、舞蹈之間有著密切的聯繫，音樂、舞蹈與文學門類的詩歌也有著密切的聯繫。近年來，音樂與文學的研究，樂府歌詩或稱樂府詩與音樂的關係研究，唐宋詞與音樂關係的研究，引起許多學者的重視，而且這一研究正在逐步地深入，正在不斷地取得新成果，令人欣喜。而在這種研究的潮流中，田彩仙老師自闢徑路，推出了「漢魏六朝文學與樂舞關係」的研究課題。這一課題，把研究的範圍規範在漢魏六朝這一時期。這一時期，樂府詩與音樂的關係最為密切，這一點，我們從沈約的《宋書・樂志》就可以看

得非常清楚，一些漢代的樂府詩，在晉、宋還是可以繼續歌唱的；儘管到了南朝中後期，樂府詩已經未必全部入樂，但是，我們從《隋書・音樂志》中仍然可看出南朝的樂府與音樂關聯還是比較緊密的。宋人郭茂倩《樂府詩集》把樂府詩分為十二大類，十二類中，除了後三類：「近代曲辭」、「雜歌謠辭」、「新樂府辭」錄的是隋唐的樂府詩（且與音樂比較疏離或與音樂無關），其餘九類都以漢魏六朝為主。田彩仙老師選擇漢魏六朝這一時期作為研究文學與舞樂關係的對象，無疑是非常正確，而且是有見地的。其次，田彩仙老師特別關注樂府詩與舞蹈的關係。《樂府詩集》第七類為「舞曲歌辭」，這一類所收的樂府詩，就是我們上文提到的舞蹈時配有歌調或歌曲的歌詞。這一研究，我個人認為寫得特別精細。田彩仙老師的研究，還通過這些舞調、舞曲的歌詞進一行研究了舞蹈的道具、舞蹈編排、舞蹈的形式，甚至於女樂的地位等問題，使我們有耳目一新之感。

文學作品的功能，在於它能通過語言（口頭上的）或文字（書面上的）記錄各種各樣的、大大小小的故事，表達人類形形色色的、複雜紛繁的情感和思想，描繪自然界五花十色、變化無端的景物。不僅如此，出色的文學作品還能嫻熟地運用語言文字，把本來從屬於靜止的視覺藝術的繪畫作品，本來從屬於聽覺藝術的音樂作品，本來既從屬於動態視覺作品、又從屬於聽覺作品的歌舞或樂舞作品，淋漓盡致、酣暢地再現在讀者的眼前，讓讀者通過聯想或想像，去領會畫家、樂師、歌者和舞蹈者的藝術精髓，使讀者如觀其畫，如聽其聲，如觀其舞，如臨其境界。文學與其他藝術門類既有各自不同的特質，但也有某些相通或相關聯之處。表現音樂舞蹈的優秀文學作品，讀者享受到的不僅僅是文學方面的藝術，而且還兼及音樂和舞蹈方面的藝術。南朝梁代昭明太子蕭統和他的門士，所編的文學總集《文選》，在賦體這一大類中，另立「音樂」一小類，收錄了漢、魏、晉最優秀的描繪音樂和舞蹈的賦作六篇，即王褒的〈洞簫賦〉、傅毅的〈舞賦〉、馬融的〈長笛賦〉、嵇康的〈琴賦〉、潘岳的〈笙賦〉和成公綏的〈嘯賦〉。簫、笛、笙、琴都是樂器，嘯是嘬口吹出聲的聲音（音樂），〈選〉賦寫音樂的共五篇；而〈舞賦〉是唯一寫舞蹈的一篇。文學與其他藝術門類（例如音樂藝術、舞蹈藝術），既有各自不同的表現形式和藝術特質，但絕非水火不相容。我們讀這六篇賦，不管你懂不懂音樂和舞蹈（能懂當然最好），都會或多或少地受到這些作品所描繪的音樂和舞蹈的感染，都會或多或少地受到音樂藝術和舞蹈藝術的無形薰陶。因此，對這種藝術現象，文學史家或者音樂史家，都有加以關注和深入研究的必要。田彩仙老師這部取名為《漢魏六朝文學與樂舞研究》的著作，除了論述樂府機關、樂府詩之外，還特別關注了這些描寫音樂、舞蹈的優秀作品，從《古詩十九首》到南朝的詠舞詩和詠樂詩，從詩到賦到文，都一一加以論述，內容比較豐富。

十來年前，田彩仙老師舉家從山西遷來福建，與夫君景先生同在集美大學工作。不久，彩仙到北京中國社科院文學研究所從著名魏晉文學研究專家徐公持先生做訪問學者。巧得很，這一年，後來成為我的博士生的苗健青也在跟從徐先生訪學。彩仙老師訪學取得很好的成績，回閩後的一兩年，便完成了一部論述六朝家族文學的著作，時評不錯。這幾年來，她又致力於藝術美學的研究，不斷有成果發表在《文藝研究》和《文藝報》上，頗多心得。我們從她這部《漢魏六朝文學與樂舞研究》的著作中也可以看出田彩仙老師這方面的研究的成績。這部著作專門設立〈漢魏六朝樂舞美學研究〉一章，其中〈漢魏南北朝樂舞美學觀的嬗變〉、〈北朝樂舞的美學特點〉等節，學界似乎關心較少；即使研究較多的嵇康、阮籍的音樂美學觀，作者也有不少自己的心得和見解。

二〇〇四年，田彩仙老師提出，想再次訪學，到我這兒做高級訪問學者。我說，你的水準已經不錯了，何況已經從徐先生訪過一次學。她說，從徐先生那兒確實學到不少東西，但是已經過去好幾年了，自己還想提高提高。福州距離廈門不遠，高速公路通車之後，三個多小時就可到達，十分便捷。就這樣，田彩仙老師再一次過著訪學的生活，住一天只有十多元錢的培訓中心宿舍，每天到食堂打菜打飯。二十年來，我接納過十數位進修教師和訪問學者，田彩仙老師是聽課最勤、用功最力者之一。每次我給博士生或碩士生上課，她總是早早就來，而且坐在很靠前的位置，一年的時間，她給我看過好幾篇論文的初稿。其中一篇是寫南朝〈白紵舞〉的，我看了覺得頗有新見，並且推薦給一家原本認為是沒有問題的一般刊物，沒想到黃鶴一去，杳然無蹤。雖然這篇論文後來她自己另投給通常被認為是權威期刊的《文藝研究》，並且發表了，但我心裏還是覺得作為指導教師並沒有完全盡職盡責。田彩仙老師在訪學結束前夕，拿著〈漢魏六朝文學與樂舞研究〉的提綱來和我討論。年前，她寄來了全書的列印稿，並囑我為之序，於是寫下以上文字。一方面，借此機會將此書推薦給同好；另一方面，也記下了她從我訪學的這一段往事。

二〇〇七年一月七日於福州煙山南麓華廬

釋慧蓮《東晉佛教思想與文學研究》序

前幾年，一位學生按期給我寄送《福建畫報》，隨手翻過，常常隨手棄之，沒有刻意存留。其實，這份畫刊圖文並茂，而且登過我的一幅大照片，我是很喜歡的，只是書滿為患，不得不割愛。但是，二〇〇四年第七期的那一期至今卻仍然擺放在我的書架上，而且是在顯眼的位置。在這期「感受福建」的欄目裏，刊載了越南比丘尼來福建師範大學求學的五幅照片，各占五分之二碼的有兩幅，一幅是越南的留學生們走在高樓林立的福州街頭，一幅是留學生正在和他們的中國同學相互切磋。另外三幅版面小一點，分別是：釋慧蓮和她的留學生同伴在福建師範大學校門的留影，李小榮教授神采飛揚正在給留學的碩士生上課，另一幅是我在指導博士生釋慧蓮讀書（和慧蓮一起聽課的是來自安徽的博士生李霜琴）。

釋慧蓮是我招收的第二個境外的學生，也是第一個國外的留學生。釋慧蓮在廣西師範大學獲得碩士學位之後，二〇〇二年到福建師範大學文學院繼續讀博士學位，專攻魏晉南北朝文學。能不能指導好慧蓮的論文，沒有把握，首先是慧蓮的漢語程度到底怎樣？這一點，和慧蓮幾次接觸之後，顧慮很快就打消了。慧蓮不僅漢語講得很流暢，絲毫沒有交流的障礙，文字表達的能力也很好。三年之後，她的博士論文文字的老到，甚至不亞於文字功底已經比較嫻熟的中國本土的學生，這不是我作為導師對她的偏愛，而是參與她博士論文評審的外校專家的評價。其次是選

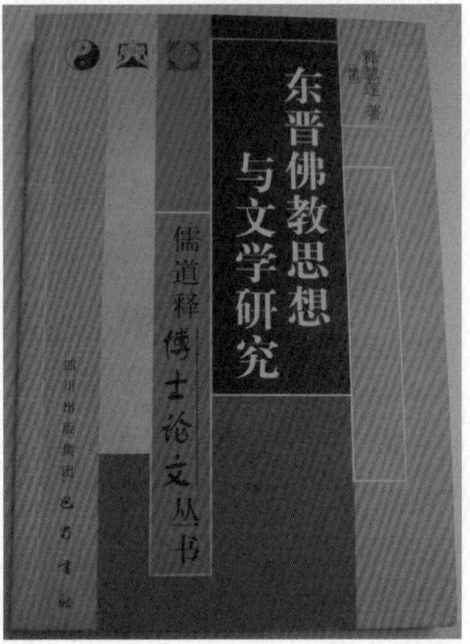

題，慧蓮文字表達雖然不錯，對佛典的修養也相當好，但是，她做的博士論文畢竟是中國古代文學的論文。經過與協助我指導慧蓮的李小榮教授討論，確定慧蓮做《東晉佛教思想與文學研究》這一論題，這樣既發揮了慧蓮的佛學方面的所長，又結合了慧蓮所選的中國古代文學專業。

慧蓮在攻讀博士論文期間和寫作的過程中還是碰到許多的困難。在福建師範大學就讀的越南留學生，多數經濟拮据。留學的比丘尼，並不住在留學生的宿舍，而是在外面合租租金

低廉的私房；他們沒有固定的生活來源，自己做飯，精打細算，省吃儉用。平均下來，每月的伙食和日常開銷只有一百多元人民幣。我時常想，國內絕大多數的貧困學生，每月的開支可能都要高於這一數字的一倍以上。學費則是最大的負擔，慧蓮他們的學費大多來自越南的寺廟、宗教機構或親友的資助，然而，常常沒有保障。慧蓮在攻讀博士學位的第二年，幾乎斷了經濟來源，差一點被迫輟學，幸而得到鼓山湧泉寺方丈普法大師的贊助，才使她得以渡過難關。其次，是魏晉文學和文獻的學養。這方面，根據培養方案，慧蓮跟隨中國的學生聽了不少的課，李小榮教授還常常給她以具體的指授，或者開書目，或者上專題。

慧蓮非常刻苦，出家人，除了出家人的功課之外，沒有塵世之煩，她的時間和精力，只用在讀書和寫作上。三年之後，我們再看慧蓮所完成的《東

晉佛教思想與文學》，不能不感到驚訝，雖然還不能說她對魏晉文學文獻的掌握已經了若指掌，至少可以說是相當熟悉了。當然，俗家和出家是不一樣的，我不能要求所有的學生做學問都像慧蓮那樣專注，那樣心無旁騖，但是治學精神無論出家還是俗家，都是相通的，公正地說，國內不少學生，刻苦的程度是不如慧蓮他們的。我在給學生上課，常常說，我們國內的學生，基礎比慧蓮他們好，經濟和其他許多條件也比慧蓮他們好，為什麼不能學得好一些呢？

我也評審過一些外校留學生的博士論文，慧蓮和一些優秀者相比，是不遜色的。二〇〇五年，慧蓮在博士論文答辯中，得到了很好的評價，並被推薦參加福建師範大學優秀博士論文的評選；學校評選通過了，又被推薦參加福建省優秀博士論文的評選，結果也獲得優秀博士論文的獎項。這是我指導的國外留學生首次獲得福建省優秀博士論文獎；也是福建師範大學外國留學生首次獲得福建省優秀博士論文獎。慧蓮獲得博士學位之後，旋即回國，在越南南方胡志明市的一所寺廟裏當主持。佛法是沒有國界的，學術也是沒有國界的。又三年過去了，巴蜀書社經過匿名評審，決定出版慧蓮的這篇博士論文。感謝巴蜀的慧眼！有意思的是，我和李小榮教授都有書在巴蜀書社出版過，也許，這也是一種緣分。

慧蓮回國之前陪著兩位師妹來見我，希望師妹也能在我這兒讀博士學位。三年過去了，慧蓮的師妹釋嚴蓮（博士論文《龍樹中觀思想在華流播研究——以東晉至初唐時期為中心》）和釋如月（博士論文《當代中越佛教尼眾僧團異同之研究》）都順利地通過博士論文答辯並獲得博士學位。數天前，她們前來告別，現在都已經回到越南國內了。她們回國前，本來安排好到一家素餐館吃素餐的，後來因為我所在的學院招聘員工，不能脫身，不得不爽約，只好讓李小榮教授代勞。三年前，慧蓮回國前吃素餐的情景宛然在目，何時有機會能請慧蓮、嚴蓮、如月一道品嘗福建的素食呢？

慧蓮的《東晉佛教思想與文學研究》一文的指導，李小榮教授出力尤多。《東晉佛教思想與文學研究》學術評價及寫作的其他情況，請讀者參看李小榮教授的序言。

二〇〇八年七月十二月於福州古望北台南麓

卓克華《古蹟・歷史・金門人》序

二〇〇八年元月十八日，由桃園機場經由香港轉機回福州，結束了四個多月東吳大學客座教授的生活。離開臺北的前一周，不知不覺對客座生活留戀起來。登上西飛客機的前一周，我的日程排得很滿：十一日，上午去羅斯福路一段看望文史哲出版社彭正雄先生，中午文化大學廖一瑾教授餞行，下午與幾位學生上士林官邸喝茶道別；十二日，臺北市金門同鄉

會王水衷理事長、實踐大學張火木教授等餞行；十三日，去宜蘭，回程觀賞北關海潮，遠眺龜山島，逛了金瓜石、九份；十四日，臺北大學王國良教授餞行；十五日，參訪烈嶼公共事務所，諸同鄉在光復北路一家粵菜館餞行；十六日，東吳大學莫院長在圓山飯店附近一家餐館餞行；十七日，早上經金門鄉親楊樹清介紹，到蘭臺出版社拜訪盧瑞琴社長，晚上銘傳大學吳處長餞行。

在東吳期間，樹清兄和我聯繫較為頻繁，他圈子裏的文人活動，諸如書畫展，書籍首發、文人小聚都通知我，由於功課等原因，我出席的並不太多。元月五日，龔鵬程教授在和平東路辦了個人書法展，我應邀參加了。書展來了好幾位出版社的社長、老總，盧瑞琴女士是其中一位。樹清兄拉著我說，今天人太多了，另外安排一個時間，我帶你到蘭臺與盧女士聊聊。十七日，我按照樹清兄的指點，來到開封街的蘭臺出版社。臺灣出版社林立，不下千家。蘭臺雖然在四層樓，但可以想像，處於臺北鬧市，房租一定不便宜。因為十多天前剛見過面，也不必太多的介紹，很快就熟悉了。子曰：名不正則言不順。彭先生的書店，得名於「文史哲」，大陸學者對這三個字似乎有一種天生的親切感，彭先生曾對我說，他第一次到廈門展銷他的圖書，很快售罄。「蘭臺」之名，或緣於漢代，宮廷內的藏書之處稱蘭臺，班固曾任蘭臺令史，受詔撰史。蘭臺出版的圖書，大多是史學研究之類，是不是辦社宗旨本來如此，抑或是社長的偏愛？

辦公室不大，擺放著兩三張辦公桌，一台影印機，牆邊站著書架。書架擺的大概就是這個出版社出版的樣書了。無意間，在一本書上看到卓克華先生的一篇題為《鹿港金門館》的文章。十一月，我剛到過鹿港這個古老的小鎮，在去鹿港之前，台中的一位鄉親特地交代，到鹿港，非得看看金門館不可，雖然我在館裏館外低回良久，又在金門街、金門巷來回走來走去，但看到的和感受到的，只是一些表象，金門館的歷史及變遷，金門街、金門巷的聚落形成，幾乎一無所知。所以一見到卓教授的大文，恨不得一口氣讀完它不可，但我總不能把主人和樹清兄撇在一邊，像在圖書館那樣旁若無人只顧自己看書。樹清兄是記者，是散文作家，他對金門的歷史文化情有獨鐘，有很深的研究，是三十卷本《金門學》的策劃者，對創建於宋代的金門燕南書院還有著獨特的見解。每當談起金門的人和事，樹清兄總是想法多多，手舞之而足蹈之。盧社長說，卓教授研究金門的論文已經寫了多篇，即將結集交我們蘭臺出版，見書之後，再給你郵去。我說，期待早日見書，一睹為快！樹清兄不假思索，對社長說，不如請陳教授為此書作序，上個月他剛應邀從臺北飛往金門作了講演。這個序由他來作，再合適不過，再合適不過！社長也不假思索，就說拜託拜託！

樹清兄固然有他自己的想法，而對我來說，我不過是個金門人，對金門的文史有些興趣而已。不過，攬了作序「這份活」，我還是挺高興的。這篇序，成了我在東吳大學客座的最後一項工作，不過，時間已經不允許我在面對故宮博物院外雙溪的半山上完成這件工作了。

蘭臺發來了卓教授《古蹟．歷史．金門人》一書的電子文本。這部書共收錄卓教授十二篇論文，外加附錄《鹿港金門館》一文，共十三篇。前十二篇寫的都是金門縣一地的古蹟、歷史和相關的人物。鹿港在臺灣嘉義縣，鹿港的金門館，既和金門有關，又和金門縣本土的廟觀館有區別，故作為附錄。

金門是一個島縣，晚清民初，中國沿海這樣的島縣超過十個。金門本島加上周邊的島礁，總面積不過一百多平方公里，但是晚近幾個世紀，金門卻是舉世聞名的。十七世紀中葉，東南沿海十三洲島的明朝軍民，以監國魯王朱以海為相號召，金門成了明朝在大陸最後亡的縣城之一。我們讀金門人盧若騰的《島噫詩》，就可以知道金門人飽受的戰爭苦難；魯王本人雖然受到鄭成功的禮遇，但顛沛流離，連他的死因和葬地都是一個迷，三百年間一直讓中外史學家猜測不休（魯王墓真塚，上世紀五十年代在一次偶然的野外作業中得以發現，前人種種推測從此冰釋，參見本書《「漢影雲根」摩崖石刻新解》一文）。三百年之後，萬炮齊轟的「八二三」，讓金門再次成為舉世矚目的焦點。如今，當炮火的硝煙已經散去，當十萬大軍已經悄然撤離，當觀光旅行者對著殘壘、地堡、火炮、戰車不再驚魂不定，島民們更多關注的不再是戰爭的過去，而是和平的未來，他們的目光，轉向有著豐厚歷史文化背景的金門，轉向有著詩情和文學的金門。於是，《金門學》三輯三十冊出版了；於是，《金門文學叢書》也是三輯三十冊出版了；於是《黃東平全集》十巨冊出版了；於是，南宋四大遺民之一丘葵的《釣磯集》整理出版了，晚明蔡獻臣的《清白堂稿》在海外發現並重新影印了；於是，金門歷代文化人紛紛進入碩士、博士研究生的研究視野……

文學創作且不論，就說研究吧。如果我們審視一下研究金門文史的隊伍，不難發現，研究者十之八九、甚至更多是金門人或他們的子弟。這或許是他們的金門鄉情使然，鄉情，這是人類一種很重要的情感，無可非議。但是，除了金門人或他們的子弟，研究金門文史的人的確不多。卓克華先生祖籍福州，文化大學碩士，廈門大學博士，佛光大學教授，就個人的背景而言，似乎與金門沒有更多的瓜葛，但是他研究金門了，而且研究得很成功，成一家之言，新見迭出，這也是我個人特別欣賞、特別欽佩的一個原因。

近十多年來我比較多關注福建地域文學，有朋友對我說，地域文學課題太小，以你的積累，如果做點大一點的課題，也許成績會突出一些。說實在，我也時常感到困惑，特別是個案研究，投寄的稿件，編輯有時連你研究的對象都沒有聽說過，這不是讓他為難嗎？申請的課題，有時也讓評審的評委覺得為難，是不是課題小了點，意義不夠重大？卓克華教授這部著作，《金門朱子祠與浯江書院》一文，事關朱子研究，也許算是「大一點」的課題，其他諸如一座堂（黃氏酉堂）、一座宅第（將宮第）、一座舊兵署（清金門鎮總兵署）、一座塔（文台寶塔）、一座館（鹿港金門館）、一座節孝坊（邱良功之母節孝坊）、一個名不見經傳的人物（邱良功）、幾個節婦（瓊林蔡家一門三節婦），幾方石刻（雲影漢根和虛江嘯臥群碣），作介紹尚可，作為論文的題目，是不是有點「小題大作」？其實，論著的題大題小，並不重要，重要的是論著有沒有新觀點，有沒有提供新材料，是否解決前人沒能解決的問題。卓教授的論文，的確是「小題」，但是，他卻能以「小題」寫出好文章，能解決前人沒能解決或解決得不夠好、不夠深入的問題。例如，鹿港的金門館，很多人都認為金門館就是金門會館，是清代金門人移民臺灣在鹿港形成聚落的標誌。卓教授仔細地研究了現存的四方石碑碑文，結合其他文獻，推翻舊說，認為「金門館」初名「浯江館」，是清代為金門換防來台的水師官兵所建，是屬於「班兵夥館」一類的建築。金門館附近的聚落是具有海軍眷屬性質的村落。隨著金門館歷次的修繕，「夥館」功能在逐漸消失，金門館內供奉的由金門分香而來的蘇王爺也就成了周邊民眾信奉的神靈，金門館也就具備了「角頭廟」性質的一座廟宇。四方石碑，是研究清代班兵制度的重要文獻，從一向不為人所重的捐贈碑，還可以看出中元普渡的風俗在鹿港起碼已經流傳了二百年以上。

卓教授這部著作寫的雖然只是金門的歷史和人事，其視野似乎也是局於一隅一地。其實亦不然。卓教授在首篇《清金門鎮總兵署》一文引用了晚明曹學佺兩句描寫浯洲也即金門的詩：「浯洲斷嶼入海水，仙人倒地眠不起。」曹氏這兩句詩見其《端山蘭若歌為池直夫作》（《石倉四稿．西峰集．六四草》），詩前半寫道：

君不見銀城昔日號大同，主簿聞有朱文公。至今題詠諸岩石，峻嶒道骨軀真風。又不見文圃學士多遺跡，土無頑夫木無棘。逕洞邃谷皆天成，唐帝潛蹤傍黃檗。浯洲斷嶼入海水，仙人倒地眠不起。閩王北鎮雖屭封，秪似桃源避秦世。南陳北薛共嘉禾，天雞叫曙飛蜂巢。七星點綴珠囊啟，篔簹港塞那通波。茲我直夫負奇穎，更有誅茅在幽境（按：以下寫端岩蘭若，下略）。

池直夫，即池顯方，同安人，居嘉禾嶼（今廈門本島），天啟四年（一六二四）舉人。學佺詩寫顯方結茅幽境，因同安古稱大同，又號銀城，故從銀城、大同入筆。浯洲即金門，明屬同安縣；嘉禾即廈門島，亦屬同安縣。如果此詩僅寫顯方居嘉禾，南陳北薛，不及銀城、大同，亦無浯洲，歌行未免就侷促了。這裏說的雖然是詩人的視野，而研究性質的論文也常常也有視野的問題。我們見到的一些論文往往展不開，或深度不夠，與作者的研究視野亦不無關係。卓教授的研究之點，雖然僅在金門這個「點」上，但所關注到的卻是明清的閩台、甚至東南沿海，總兵署、盧江嘯臥、雲根漢影等好多篇論文都是這樣寫法，涉及的有倭亂、抗清、兵制、海防、建築、族群等許多大問題。不久前，卓教授從臺灣來福建，我們終於有機會見面。他認為，在臺灣研究史學，僅僅局限於臺灣是不夠的，還要關注金門、進而關注福建，關注東南沿海，以至於整個大陸。卓教授的話，給我的啟示是：卓教授研究歷史，比不少研究文學的人要嚴謹，視野似也開闊。

我知道，卓克華教授在廈門大學從陳支平教授攻讀史學博士。支平兄和我都曾在崇安縣（今武夷山市）待過，一九七八年我們先後離開了崇安，所以還未曾與卓教授謀面之前，就有一種不可言狀的親切。卓教授是由林國平教授領著來到寒舍來的。國平兄也是多年朋友，我在閩台中心兼過職，國平兄一度還是我的上司。國平兄與卓教授都出自支平兄的門下，我們三個人言談甚歡，時間恨短。令我想不到的是，卓教授與敝校財務處處長金天欽還有點親戚關係，卓教授有一本早幾年出版的著作要送我，國平兄說，放在金處不就行了嗎？大家開心一笑。原來世界也真小。

盧社長從海東發郵催序了，這兩天颱風，暫時給炎熱難耐的夏天帶來些些清涼。

二〇〇八年七月三十日颱風鳳凰過境之第二日

江中柱《小草齋集》序

明清易代，福王小朝廷覆亡之後，唐王朱聿鍵建都福州，改元隆武。唐王敗後，魯王朱以海在東南沿海的抗清活動又堅持了十餘年。明鄭在閩台的抗清，一直持續到康熙二十二年（一六八三）。其間，康熙十三年（一六七三）又暴發耿精忠叛清事件（「三藩之亂」之一）。

也就是說，長達四十年之久，福建一直處在戰亂之中。民眾的流離，經濟的破壞，瘡夷滿目。在民且不能聊生的狀況下，圖書典籍的保存收藏，不免為空話。徐𤊹之子徐存永，就曾經說過，他家的藏書樓散為炮架（藏書樓有紅雨樓、綠玉齋、宛羽縷，藏書多達數萬卷，且多善本）。明末閩人的著述，特別是詩文集，大多涉及時局、時事，入清之後為清政權所忌，多列為禁書，更是火上添油。乾隆間曹學佺裔孫曹岱華編《石倉詩稿》，搜集到曹學佺詩集共三十三卷，陳治滋《重刻曹石倉先生詩集序》以為乾隆本「尚可符舊刻卷帙」，實際上此書於崇禎之後曹學佺的詩集只收了《六四集》一種，與曹氏自己所說六十之後一歲一集大大不符。因此後人一直懷疑黃虞稷《千頃堂書目》和《明史．藝文志》著錄《石倉集》百卷的說法。徐𤊹《幔亭集》二十卷，《四庫全書》所收僅十五卷，國內僅福建師範大學圖書館藏十六至二十卷的傳抄殘本，而非完帙。謝肇淛的《小草齋集》三十卷、《小草齋續集》三卷、《小草齋文集》二十八卷，命運稍好，今天在國內依舊可以覓見其全帙，在流傳過程中，雖然不絕如縷，但已可稱萬幸了。《四庫全書總目提要》曾經提到《小草齋集》和《小草齋續集》，引黃稷虞的《書目》，且卷數與現存本子也不完全相符，疑《四庫》館臣未見到原書。道光間見多識廣的梁章鉅，尋《小草齋集》「三十餘年而不得」（《東南嶠外詩話》卷八「謝肇淛條」）康熙間高翮映所輯著的《雞足山志》是一部搜羅宏富的山志。謝肇淛入滇後，於雞足山情有獨鐘，相關作品亦豐，然《雞足山志》僅收謝氏碑文一篇，《題皇藏》詩（《小草齋續集》作《華嚴寺觀賜藏》）一首，而未收謝氏的《遊雞足山記》等文及其他詩篇，可以斷定，高奣映既未見到《小草齋文集》也未見到《小草齋續集》。我們今天見到的《《小草齋集》卷一至卷十七、卷二十四至卷三十，《續集》三卷，藏福建省圖書館；《小草齋集》卷十九至卷二十三藏福建師範大學圖書館。明本《小草齋集》、《小草齋續集》原為黃任所藏，後歸鄭傑所有。鄭氏此書，後來如何分散為兩處，已不得知。二〇〇三年，我將兩館所藏之三十三卷合為一帙，名《謝肇淛集》（福建叢書第二輯，多以作家之名名集），交江蘇古籍出版社出版，這部書，雖然印數有限，但方便了研究者的閱讀。但這個集子也有不足，不足之一是沒有收入天啟本《小草齋文集》二十八卷（藏江西省圖書館），名謝肇淛之集，未免與實際不太相符；二是影印出版，未作點校，對大多數讀者來說頗有不便。

四年前，《謝肇淛集》出版，我寫了萬餘言的前言，對謝肇淛的家世、生平、著述和文學成就作了簡要的論述。我一向認為，研究文學史、文學流派、文學家，一定要從相關的詩文集、從作品入手。寫前言，實際上也是做研究工作，同樣要花費許多是間在閱讀文本上。《明史·文苑傳》，論述萬曆中閩中重振風雅，以為鄭善夫之後，曹學佺、徐𤊹輩繼起，謝肇淛、鄧原嶽和之，《明史》的《謝肇淛傳》又寫道：

> 肇淛，字在杭。萬曆三十年進士。官工部郎中，視河張秋，作《北河紀略》，具載河流原委，及歷代治河利病。終廣西右布政使。

這一小段話只有四十多個字。但是，就是這四十多個字，卻有兩處失誤。一是說，肇淛萬曆三十年（一六〇二）進士。三十年，應作二十年（一五九二），不用查其他資料，只要讀讀《小草齋集》和《小草齋文集》，這個「三十年」之說，立馬可破。「終廣西右布政使」也是不對的。《小草齋文集》附曹學佺《明中奉大夫廣西方伯武林謝公墓誌銘》，「左方伯」就是「左布政使」。另一篇附錄，徐𤊹的《中奉大夫廣西左布政使武林謝公行狀》也非常明確，且記載道：「癸亥，晉本省右布政使，尋晉左布政使」。天啟三年癸亥（一六二三），即謝氏卒前的一年。曹學佺與謝肇淛同官廣西，又是同鄉和兒女親家；徐𤊹年紀雖稍小於謝肇淛，但是，他卻是謝肇淛之舅氏（𤊹長姐為肇淛父汝韶之繼室）。曹、徐兩文之載記，無可懷疑。可以斷定，《明史》必誤無疑。如果不讀《小草齋集》、《小草齋續集》和《小草齋文集》，《明史》的這一段傳記，很容易被忽略，也很容易以訛傳訛。由此可見，作家文本作為第一手的文獻資料何等的重要！

《明史．文苑傳》論明代閩中詩派，以洪、永之世的林鴻、高棅等「十子」為第一階段，林鴻、高棅論詩主盛唐，高棅的《唐詩品彙》則大力加以鼓吹，終明一代，「閩人言詩者率本於鴻」；弘、正時期，鄭善夫不襲李夢陽、何景明，雖力摹杜少陵，而能自成一家，足與中原爭旗鼓；萬曆年間，竟陵盛行，包括謝肇淛在內的閩中詩人提出重振風雅的構想。《明史．文苑傳》說曹學佺、徐𤊹繼鄭善夫而起，謝肇淛和鄧原嶽和之。這一論述也有可商之處。可商之一，名單中缺徐熥的名字。可商之二，萬曆年中復振，是否由曹學佺、徐𤊹首起？我們試簡要分析後一個問題，這個問題弄清楚，徐熥的問題也就解決了。鄧原嶽等的生卒年如下：

鄧原嶽：生於嘉靖三十四年乙卯（一五五五），萬曆二十年（一五九二）與謝肇淛同榜進士，卒於萬曆三十二年（一六〇四），年五十。

徐熥：生於嘉靖四十年（一五六一），萬曆十六年（一五八八）舉人，卒於萬曆二十七年（一五九九），年三十九。

謝肇淛：生於隆慶元年（一五六七），萬曆二十年（一五九二）與鄧原岳同榜進士，卒於天啟四年（一六二四），年五十八。

徐𤊹：生於隆慶四年（一五七〇），布衣，卒於崇禎十五年（一六四二），年七十三。

曹學佺：生於萬曆二年（一五七四），二十三年（一五九五）進士，卒於清順治三年（一六四六），年七十三。

鄧原岳，比徐𤊹和曹學佺分別大十五歲、十九歲；徐熥比徐𤊹和曹學佺分別大九歲和十三歲。五個人中謝肇淛年齡居中，而靠徐𤊹和曹學佺近些。鄧原岳在萬曆二十年（一五九二）稍後兩三年間，已編就《閩中正聲》，正聲，就是風雅；萬曆十五年（一五九七），徐熥編就《晉安風雅》。這兩部專選明代福州一府的詩集，就是專門鼓吹風雅復振的選本，特別是徐熥《晉安風雅．序》一文，可以看作是明初到萬曆年間閩中詩壇風雅發展的簡略史。再說，鄧原岳和徐熥的詩歌創作到了萬曆二十年前後，也已經進入興盛的時期。不是說這個期間二十多歲的謝肇淛，或者二十出頭的徐𤊹、曹學佺就不能宣導復振，而是沒有更多的證據來證明他們在萬曆二十年或稍後的期間起過什麼重要的作用。徐𤊹除了幾次出遊的時間長達半載一年之外，都在鄉梓聚書寫作。曹學佺萬曆二十三年成進士之後，其中萬曆四十年（一六一二）削級歸家，至天啟三年（一六二三），復起廣西右參議，家居超過十年；天啟六年（一六二六），也就是謝肇淛卒後兩年，削籍還鄉，一直到順治三年自縊，活動範圍都在福州（間或到閩南一帶）。謝肇淛卒後的二十年間，徐𤊹和曹學佺無疑是閩中詩壇的領袖。

謝肇淛的年齡介於鄧原岳、徐熥與徐𤊹、曹學佺之間，當然，這種「介於」，不能截然或非常清晰地確定一個年份作為界線，特別是萬曆晚期，徐𤊹、曹學佺的作用已經凸顯。萬曆二十年，謝肇淛成進士，陸續刻《游燕集》和《游燕二集》，已有詩名，當年歸里，徐𤊹對《游燕二集》批評很不留情面，以為「昔吾與子雖空行空返，猶有似也，其臒也。而子且為犧矣，心計既粗，面目都惡。何暇唱渭城乎？」大意是說，謝肇淛入宦之後，沾染了粗惡詩風，面目可憎，反不如昔年純粹。儘管肇淛不能完全同意舅氏的意見，「笑而不應」，但還是「心沐浴其言」，引為警戒。徐𤊹第二次赴考，至京後以父亡即返回奔喪，他說這話時可以說是既無權又也無勢，而謝肇淛卻能將這些批評的意見寫到《自序》中來，可見謝肇淛對徐𤊹的尊重，也可以見出徐𤊹當時在閩詩壇地位之一斑。謝肇淛入宦後回閩的次數較多，時間最長的是萬曆三十四年（一六〇六），歸家後不久，父卒居喪，所以一直住到萬曆三十七年（一六〇九）。此間他與諸友組織「紅雲社」。一次是萬曆三十九年（一六一一）至四十年之間，他組織「泊台社」，謝肇淛已經四十五歲左右，經歷漸多，見識日廣，重振風雅的思考也日漸成熟，他寫下了《讀明詩作二首》、《五子篇》（分別評陳椿、趙世顯、鄧原岳、陳幼孺和徐𤊹五人詩）、《後五子篇》（分別評陳鳴鶴、陳宏己、陳價夫、徐熥、曹學佺五人詩），寫了《傷鄭琰》（鄭莆田人，然與閩中詩人關係甚密，倡酬頗多），特別是寫了《讀閩詩三首》。《讀閩詩三首》的第一首，寫明初宗尚盛唐的林鴻十子詩派之興起，以為「識窺天漢表，力挽鴻蒙坼」。第二首開篇云：「正聲久不作，蛙鼓雜天籟。雅鄭縱橫陳，舉世皆聾瞶。」也即大雅久不作之意。高棅的《唐詩品彙》「討論極涯涘，昭晰窮幽晦。力辨淄澠流，手啟江漢派」，起了振耳發瞶的作用。第三首論弘、正間的鄭善夫，以為善夫可與北地、信陽決一雌雄，「一柱障頹靡，百川回瀾狂」。最後說，願以追隨鄭氏為己任：「淛也鄉小子，私淑竊景行。」

數年之後，在謝肇淛再次歸家的前一年，即萬曆四十三年（一六一五），寫下了《漫興二十首》，有云：

雌雄角逐競中原，紫色蛙聲日月昏。誰道江南有真主，手提一劍定乾坤。（其十二）

徐陳里閈久相親，鍾李湖湘非我鄰。丸泥久已封函穀，怕見江東一片塵。（其十六）

石倉衣缽自韋陶，吳楚從風赤幟高。若問老夫成底事，雪山銀海瀉秋濤。（其十七）

朱彝尊評云：「時竟陵派已盛行，而在杭能拒之。」又：「在杭自任匪淺矣。」（《靜志居詩話》卷十六「謝肇淛」條）前一句話說是就當時整個詩壇而言的，在杭能拒之，也就是閩派能拒之，而在杭為其代表；後一句說，肇淛以為自己的詩，不在徐熥、徐𤊹兄弟、陳價夫、陳薦夫兄弟之下。總之，謝肇淛在此時期是以重振閩中風雅為己任的。

謝肇淛為友人所作的序以及書信，他的《小草齋詩話》、《文海披沙》等，有不少關於重振風雅的論述。理論論述，我們不再引述。試看以下這段話：

> 嘉、隆以來，則有郭丞文涓、林明府鳳儀、袁太守表，皆余先輩。陳茂才椿、趙別駕世顯、林孝廉春元、鄧觀察原岳、陳山人仲溱、徐孝廉熥、熥弟𤊹、陳茂才價夫、孝廉薦夫、曹參知學佺、袁茂才敬烈、林茂才光宇、陳茂才鳴鶴、王山人毓德、馬茂才、陳山人宏己、鄭山人琰，皆先後為余友，皆有集行世。其中豪宕不羈，揮斥八極，則鳳儀為冠；秀潤細密，步趨不失，則袁、趙名其家；才情宏博，多多益善，則徐氏兄弟擅其場。其他諸子，各成一家，瑕瑜不掩，然皆禘漢宗唐，間出中晚，彬彬皆正始之音也。南方精華，盡於是矣。（《小草齋詩話》卷三）

這裏，除了三位前輩，其餘都是與謝肇淛同時的閩中詩人，有的年紀大些，有的小些，他們都自成一家，「皆禘漢宗唐，間出中晚。」顯然，謝肇淛在這裏對萬曆中期以來閩中詩人的重振風雅作了一個總結，認為經過大家的努力，閩中詩壇盡皆「正始之音」，達至了重振的目的。說到這裏，我們可以大體上得出這麼一個結論：重振風雅的問題，首先是由鄧原岳、徐熥提出來的，他們的功績，主要是編選了兩個能體現風雅的選本，特別是徐熥的《晉安風雅》。《明史》說謝肇淛「和之」，只說對了一半，謝肇淛的貢獻是在於理論的建樹，以及對閩中詩壇的分析、評估和總結方面。

閩中詩壇風雅問題到了謝肇淛已經基本解決了。在謝肇淛過世之後，後期的徐𤊹、曹學佺推波助瀾，又活動了二十來年，使閩中詩壇的重振風雅一直持續到明亡。他們對閩中風雅的推動，當然也功不可沒。但是，他們在文壇方面的貢獻，主要的不是在這方面。這個問題，我們將另文論述。

謝肇淛的詩，我在《謝肇淛與〈小草齋集〉》（《謝肇淛集》卷首），已經有簡要分析和論述，這裏再談談謝肇淛詩評價的問題。錢謙益《列朝詩集小傳》云：

> 林若撫曰：「在杭詩以年進。《下菰集》，司理吳興作也。坐論需次真州，有《鑾江集》，後移東昌，有《居東集》。格調漸工，然其詩亦止於此。嘗有寄余詩云：『曾從紫氣識龍文，忽見新詩過所聞。老去自慚牛馬走，書來猶問鹿麋羣。春城樹色連吳苑，夜雨鴻聲叫海雲。荔子新紅榕葉綠，相期同拜武夷君。』在《小草堂全集》中。晚年所作，聲調宛然，不復進矣。」余觀閩中詩，國初有林子羽、高廷禮，以聲律圓穩為宗，厥後風氣沿襲，遂成閩派。大抵詩必今體，今體必七言，磨礱娑蕩，如出一手。在杭，近日閩派之眉目也。在杭故服膺王、李，已而醉心于王伯谷，風調諧合，不染叫囂之習，蓋得之伯谷者為多。在杭之後，隆為蔡元履，變閩而為楚，變王、李而之鍾、譚，風雅淩夷，閩派從此熸矣。」（丁集下。據上海

古籍出版排印本重新標點。）

《寄林若撫》（《小草齋集》卷二十二），作於萬曆三十六年（一六〇八），謝肇淛年四十二。此後，謝還活了近二十年，說此詩作於晚年，恐不妥。肇淛詩「止於此」，「不復進」，似亦可商。東昌之後，肇淛又轉任多職。萬曆三十八年（一六一〇），肇淛在京城作歌行《燈市行》，徐𤊹《謝在杭新拜屯田兼寄〈燈市行〉賦答》云：「一時突貧長安紙，《燈市》爭傳樂府篇。」（《鼇峰集》卷十四）傳播甚盛，京城紙缺一時，固是誇飾，但此詩突破舊作，當是無疑。《列朝詩集》選肇淛詩僅八首，其中《南旺挑河行》作於萬曆四十二年（一六一四），此詩寫就於東昌之後。沈德潛《明詩別裁》選肇淛詩四首，《秋日邀龍君御同鍾伯敬林茂之賦時君御將赴湟中》作於南京，也不是東昌前之作。再說「大抵詩必今體，今體必七言，磨礱娑蕩，如出一手」，亦不確。肇淛的七律是好的，林若撫說贈他的一首，還有通常選家所選的《送興公還家》也都是七律。至於當時詩人們傳誦的《題吳興海天閣》，則是五言而非七言。而上面我們列舉的三首，恰好都不是七言近體，歌行有兩首，五古一首，可見七律之外，肇淛也有佳作。其他萬曆後的閩詩人的情況，不盡相同。徐熥兼工諸體，而以七絕最為突出；徐𤊹最喜七律；曹學佺也兼工諸體，而五言律更為王漁洋激賞。「如出一手」之手，不攻自破。蔡元履，同安人，籍非閩中，在詩派之外，其變不變楚，與閩中詩派無關，更與肇淛無關。朱彝尊說，終明一代，閩中詩風不變，說法比較客觀。錢氏為了抹黑閩中詩派、抹黑謝肇淛，不惜張冠李戴，這樣的批評，有失嚴肅。

錢氏所言「醉心于王伯谷，風調諧合，不染叫囂之習，蓋得之伯谷者為多」，也非確論。肇淛《漫興》其十五：「海內談詩王太原，一時旗鼓屬吳門。傷心南有堂前月，客散池空草滿園。」王太原，即王穉登。穉登，字百谷，居吳門，主吳門詩壇三十餘年。謝肇淛寫這首詩時，穉登已經過世數年。謝肇淛以為，王穉登影響僅局限於吳門一地，過世之後客散草空，不過有一時旗鼓之名而已。選《明詩三十家詩選》的汪端，對錢氏這一批評相當不滿，她說：「在杭詩清圓俊朗，遠勝王百谷，而虞山深詆閩派庸熟踏襲如出一手。又謂在杭風調諧合，得之百谷為多，其月旦顛倒如此！」（二集卷七上）汪瑞許徐𤊹、徐㶿和曹學佺進入明三十家之行列，而謝肇淛僅附於徐㶿之後，但是她說肇淛之詩，「清圓俊朗」，大抵公允。錢氏所說的得之王穉登為多，亦未免荒唐。

明以詩名家者眾，嘉靖之後，唐宋散文派興，葉向高序《小草齋集》說：「若合詩與文而俱工，則雖班馬、李杜、崆峒、大復諸名家，皆不能也。吾郡在國初十子，即以詩鳴，其後如少谷先生輩，皆詘于文，邇來才士彬彬，頗以兼至自負，而竟其所就，長短得失，亦自可見，不容掩也。今讀方伯在杭公《小草齋集》，則庶幾矣……茲集二十八卷皆文。序、記之雄遊，碑、傳之博奧，論、贊之精嚴，尺牘之朗暢，銘、誄雜著之爾雅，皆斐然。」（《小草齋文集》卷首）《小草齋文集》多達二十八卷，葉向高認為，謝肇淛的「雜著甚于其文」，讀謝氏之文當與其雜著相發明，當有更多的收穫。

《謝肇淛詩文集》百萬言，點校出版，豐富了「八閩文獻叢刊」，對福建的地方文獻整理的貢獻亦不待言。上文我們引謝肇淛的《小草齋詩話》那段話，除了謝肇淛自己，和他同時的詩人至少還有十八位，這十八人的集子都尚未整理出版，其中林章的《林初文集》、鄧原岳的《西樓集》、徐熥的《幔亭集》、陳伯孺的《招隱樓集》、陳幼孺的《水明樓集》、徐𤊹的《鼇峰集》、曹學佺的《石倉集》，以及林章之弟林古度的《林茂之詩選》，諸集均見在。我們期待逐一整理出版，以見晚明閩中詩壇之盛況。

中柱在湖北大學讀的碩士，攻讀古籍整理，畢業後到福建工作，並獲得中國古代文學博士學位。中柱點校謝肇淛詩這部集子，焚膏繼晷，一絲不苟。集子即將出版了，中柱囑我作序，以弁其首，故稍加發揮，略論謝肇淛如此。至於謝肇淛的生平、著述，請參見本書附錄《謝肇淛年表》和《謝肇淛著述考》，茲不贅。

二〇〇八十月十二日於福州古望北台下

陳斌《明代中古詩歌接受與批評研究》序

從上世紀五十年代到八十年代，明代詩歌及其理論研究的論著發表量很有限。八十年代後期，竟陵派、公安派和其他明代詩歌流派的研究興起，此後，明詩及明代詩歌理論的研究一發而不可收。二〇〇七年，我們在武夷山召開的明代文學學會年會，收到的詩文（主要是詩歌）論文，大大超過小說和戲曲。近二十年來，明詩及明代詩歌理論的研究隊伍正在壯大，優秀的成果不斷湧現，出現了可喜的局面。近二十年來明詩和明代詩歌理論的研究，除了作家、流派和專書的研究之外，還有整體的詩學研究、發展史的研究、復古理論的研究等等。在我看來，明詩和明代詩歌理論的研究雖然出現了可喜的局面，但比起唐詩、宋詩甚至是清詩，似乎只能說是起步，或者說剛剛進入一個比較正常的研究時期，很多問題還有待於

關注和研究。

明代中古詩歌接受與批評，就是一個很值得關注和深入研究的課題。中古詩歌，經過隋唐、唐宋、宋元、元明的改朝換代，兵燹水火，完整傳世的別集只有《陶淵明集》等少數幾種，總集也只有《文選》和《玉台新詠》等。明人有意識地對中古詩歌進行搜集和整理，馮惟訥的《古詩紀》、張燮的《七十二家集》、張溥的《百三家集》，都是大型的中古文學總集。鐘惺、譚元春的《古詩歸》、陸時雍的《古詩鏡》、曹學佺的《古詩選》等，都是重要的古詩選本。明人對中古詩歌進行搜集和整理，不僅在文獻學上有著重要的意義，在文學批評方面也很值得重視，例如《百三家集》的題辭，《古詩鏡》的評語，《古詩選》的序，都有許多對中古詩歌很好的批評意見。明代文學批評的專書中，胡應麟的《詩藪》、許學夷的《詩源辨體》，對中古詩歌的流變、詩體的衍變，都有明辨。以楊慎為代表的「六朝派」本來就是宗尚六朝詩歌的，自不必說，就是明代最大的詩歌流派「七子」詩派提出的復古理論，其「古體宗漢魏」，也是其核心觀念之一。至於某些沒有多少理論建樹，而詩歌創作有一定特色的詩人，也可能存在對中古詩歌接受的問題，例如明遺民詩人林古度在萬曆間所寫的詩，王士禎以為「甲子以前，風華近六朝」（《居易錄》卷四）；「刻意六朝」（《漁洋詩話》卷下）；「清新婉縟，有六朝初唐之風」（《池北偶談》卷十三）。總之，明人對中古詩歌進行搜集和整理也好，專書對中古詩歌流變、詩體衍變的明辨也好，宗漢魏理論的提出也好，創作過程中對中古詩歌的接受也好，種種的文學現象，都值得專家、學者們去加以思考研究。明詩是怎樣對中古的詩歌進行接受的？崇尚漢魏的詩歌理論是在一種什麼樣的背景下提出來的？六朝派是怎樣形成的，其理論特點是什麼？在關注詩歌流變及詩體衍變的過程中，明人如何建構自己的中古詩史批評？古詩選本包含著一些什麼樣的批評內容，其傾向又是如何？陳斌的《明代中古詩歌接受與批評研究》一書，對當前學術界關注還不太夠、卻是相當重要的一系列問題作了比較深入的探討和回答，研究頗具新意。

《明代中古詩歌接受與批評研究》這個課題的研究有兩個困難。第一，研究者必須同時

熟悉中古詩歌和明代的詩學。碩士期間，陳斌在中古文學方面打下良好的基礎，這方面是沒有問題的。對明代的詩學，在作論文之初，應當承認，陳斌還有些欠缺。值得高興的是，經過三年的努力，陳斌對明代詩學已經有了比較深入的瞭解，並且有許多自己的心得。明代詩學的資料豐富，但比較瑣碎。陳斌在作論文的過程中，多次外出查書，檢得第一手的資料。我一向以為，古代文學和文獻學的博士生、碩士生，必須勤跑圖書館，不但跑本校、本地圖書館，在通常情況下還需要跑外校、外地圖書館。查找資料，必須盡可能做到鋭意窮搜。陳斌的論文嚴謹，在一定程度上得益於她對資料的鋭意窮搜。

第二，論文的架構。論文大體方向確定之後，如何架構論文，也頗費一翻周折。是以「史」為線索，採取史論結合的方式，寫成一部「史」，還是用專題的方式來寫作？就形式而言，兩者當然無優劣之別。我常常對同學說，判斷你一篇學位論文是否寫得成功，是看你絕大多數的章節是不是都有新意，是否都能獨立成文、達到單獨發表的水準。如果能，說明你的論文可能有較大的創新。如果一個論題寫了十多萬字，最後只有幾千字萬把字的內容稍有新意，僅夠在一般的學術刊物上登一篇文章，那麼，你這十多萬字水分未免太多。陳斌以論題來架構論文，精心設計為四章，每章為一個或幾個分論題，拆開了都可以單獨成篇，篇篇都有一些新見，都可以單獨發表；整合在一起，在「明代中古詩歌接受與批評」這樣一個主題之下，內在邏輯清晰，又是一部有分量的專著。當然，陳斌的寫作，也有史論結合，也有史的線索，但是寫得扎實。陳斌論文的大多專題，陸續已拆成各自成篇的論文單獨發表，印證了我的想法。

以上這兩個困難，是從學術研究層面上說的。其實，陳斌在論文的寫作，還有一大困難，那就是舉家南遷後的水土不適。陳斌一家三口，生活在江蘇，她的先生葛桂錄教授來閩後，他鄉如故鄉，一如往常，沒有絲毫的影響。而陳斌和她的小朋友，其初很不適應，特別是小朋友，一直感冒（其實是哮喘），一回到江蘇，即使天寒地凍，什麼事也沒有；桂錄處在發展的重要時期，必須全力以赴從事教學和研究；近年來，大學搞評估，抓教風，在職讀博，陳斌不能有絲毫的怠慢和鬆懈。一時，扶持夫君，照顧水土不適的小兒，上課和做家務，全都壓在陳斌的身上。我們上面說陳斌跑圖書館，其實，她都是在寒暑假把孩子送回家之後抽身前往的。去年，陳斌順利通過博士論文答辯。今年夏天，和幾位同事吃了兩次飯，他們一家三口也都到了。如今，桂錄已經是文學院很年經的博士生導師了；他們的小覃思身體健壯了，上了二年級，功課不必大人操心，在沒有任何人引導的情況下，還能對照《木偶奇遇記》多種版本的優劣。也差不多這個時候，陳斌的《明代中古詩歌接受與批評研究》也付排了！為陳斌高興，也為她們一家人高興！

《明代中古詩歌接受與批評研究》很快就要出版了，陳斌最近獲得一項全國高校古籍整理出版的項目：陳祚明《采菽堂古詩選》的整理與研究。明清之際、清代的中古詩歌接受與批評的內容相當豐富，可以關注的東西很多。陳斌在本書第四章中列了一個《〈古詩歸〉與〈文選〉收入詩人對照表》，從兩部選本的取捨看各自的詩學觀念。如果陳斌繼續研究清代的中古詩歌接受，還可以做得更細一點，例如選取若干重要詩人（譬如陶淵明與謝靈運、謝靈運與謝朓等），分析一下《古詩箋》和《古詩源》等選本對這些詩人作品的取捨，也許是一件很有趣的事。

生於憂患，死於安樂。這句話在特定的環境說說，是不妨的，一般說來，似乎言重了，但提醒人們警覺有時作用還是有的。在比較困難或者條件比較差的情況下出成績，出比較多的成績、或好成績，很常見。這幾年，很多大學的辦學條件改善了，出書似乎也容易一點了，反過來，有時我們卻不是很珍惜。陳斌在相當困難的情況下，完成了《明代中古詩歌接受與批評研究》，按照陳斌不張揚、埋頭做事的風格，繼續往下做，出更多更好的成果肯定是沒有問題的。夏天，桂錄說，前幾年陳斌全力支持他！我笑著對他說，這以後你要全力支持陳斌了。他說：一定，一定！我相信，在他們今後的日子裏，都會一如既往地相互支持、相互扶持的，無論是人生，還是學術！

二〇〇八年十一月十五日福州古望北台下

趙君堯《天問．驚世——中國古代海洋文學》序

我的祖籍福建金門，是個島縣，四周被大海包圍著。東望，渺茫無際，不知幾千幾百里；西望南望，礁嶼浮沉。島民以打魚為生，叫「討海」；島民出外謀生，叫「出海」；島民回內陸，叫「過海」。我從小在海邊戲水，吹著海風長大，對大海、對海洋，有著一種與內陸居民不同的特殊的情感。因此，我十分關注描寫與大海、與海洋有關的各種各樣的文學作品。年輕的時候，我寫過一首數十行的詩，叫《致大海》；後來，有時也斗著膽，放言高論大海一番，即使言論不太精准，但熟悉我生活背景的人也並不大見怪。在過去的一些年裏，我對於中國海洋文學，有過一些思考。久遠的年代不去說它，二〇〇二年，我為粲然的《季節盛大》作序，序中說道：

> 國外的不說，就說咱們古老的中國吧。《山海經》十八卷，其中《海外經》多達七卷，什麼比翼、交脛之人，什麼一目、無腸之國，難怪孩童的魯迅對它如此地著

迷。傳說海外還有三神山，秦皇、漢武或親自尋訪、或派人往尋不死之藥。寫慣了媚人狐狸的蒲松齡也不忘勻出筆墨，給後人留下一篇抒情詩《海市》……中國的海岸線很長，經濟發達的省市也基本上集中在沿海，也就是說，中國有著非常豐富的海洋文化資源，然而，我不能不時常感歎中國海洋文學的貧乏。（《季節盛大》，長江文藝出版社出二〇〇三年版）

二〇〇五年，在四川省南充市召開的《文學遺產》年會大會上，佘正松教授講邊塞詩，我則提出「關注中國海洋文學研究」的構想。我認為中國文學的題材是十分豐富多彩的，既然有邊塞文學，有田園文學、山水文學、都市文學，現代還有黃土文學、紅土地文學等等，那麼為什麼就不能有海洋文學？海洋題材的文學在歷代文學作品中，本來就佔有一席之地，

不容忽視。這個發言引起與會專家的興趣。二○○七年，我承擔的國家社科的一個課題，在申報書中，我再次簡略闡述了研究中國海洋文學的某些看法。

近幾年，隨著閱讀面的擴展，對早先提出的「中國海洋文學的貧乏」這一看法，我作了修正：相對於邊塞文學，中國海洋文學一點也不貧乏，而且還相當豐富，只是研究者沒有把眼光投注於其中，尚未發掘其中的美麗和奧妙而已。借為趙君堯《天問‧驚世——中國古代海洋文學》作序的機會，簡要談談什麼是中國海洋文學作品，以及中國海洋文學研究什麼問題。

在我看來，中國古代海洋文學作品，所描述的至少有以下幾個方面：

一、大自然的海洋風貌，邊海和海島的自然

風貌。翻開一部《全台賦》（許俊雅主編，影像集，臺灣萬卷樓圖書股份有限公司，二〇〇六年版）凡是寫臺灣山川形勝的，沒有一篇不寫到海。

二、邊海民和島民賴以生存的海洋環境。近讀金門縣寫作學會的《浯島海吟》（金門寫作協會會員專輯二，二〇〇一年五月版），金門是個海島，這一集的作品也幾乎篇篇有海，而前十多篇的題目也都突出一個「海」字。

三、海洋的神話傳說和海洋的民間信仰。

四、海上勞作與海上商品交易、對外貿易活動。

五、域內的海上交通和海路的移民活動。

六、航海至域外的外交、宗教以外的文化交流及向海外移民活動。

七、經由海上的各種宗教活動。例如東晉法顯海外求法，唐代日僧來華求學在邊海的活動，明清兩代經由海路來華的傳教士在邊海的活動。

八、海上戰爭：域內的海戰；外來勢力的海上入侵與反侵略的戰爭。域內的海上戰爭，例如：西晉末年孫恩、盧循的農民戰爭、南朝陳天嘉間章昭達追討陳寶應、隋開皇間楊素平泉州王國慶等，都利用了福建的海路。至於施琅由東山發兵攻克臺灣，更是人人皆知的一次海上戰爭。

九、發生在海上和邊海的各種故事。

十、作為情感抒發對象的海洋。

中國海洋文學的研究，研究些什麼？我個人不成熟的想法，至少有以下幾個方面：

一、海洋文學文獻的整理與研究。這項工作看似容易，其實並不簡單。近年，劉福鑄和王連弟主編《歷代媽祖詩詠輯注》，是一部很好的專題性的海洋文學作品集。媽祖是航海平安的保護女神，宋代及宋以後，關於媽祖的詩詞數以千計，編者窮十數年之力，從總集、別集、方志、譜諜中把媽祖的詩詞搜集殆盡，並加以注釋。此書是目前最完備的一部媽祖詩詞集。

二、海洋文學發展史或發展概況的研究。其中包括斷代的研究，區域的研究，專題的研究等等。

三、海洋文學作家研究。這些作家有邊海、島嶼或航海的實際經歷。

四、海洋文學作品研究。單篇的或者系列的，或者是專題的。

五、海洋文學與上文所述的政治、經濟、文化、宗教、外交、戰爭等領域的相關研究。

對於中國海洋文學，我自己雖然有過思考，在一些論著中也偶有提及，但精力所限，目前並未專心於這方面的研究，而我的朋友趙君堯已致力於海洋文學的研究好些年了。二

○○○—二○○一年，君堯來到我的名下做訪問學者，次年，便在學報上發表了《宋元海洋文學的時代特徵》論文，從此一發而不可收。兩三年前，君堯萌發研究「中國古代海洋文學」課題的設想，這個課題甚得我意。其時，我正在著手明代閩海作家群研究的準備工作。我把明代閩海作家群區分為若干群體，其中之一是嘉靖、萬曆年間中國東南沿海抗倭和反映倭亂的作家群，代表作家有張經、陳第和陳昂等。這些作家的作品，比鴉片戰爭諸作早三四百年，是中國人民反抗外來侵略的愛國主義重要文學作品。另外還有兩處作家群也與海洋文學有關，一個是航海域外進行外交活動的作家群。明代福州長樂的太平港和漳州的月港，是中國東南繼宋、元泉州後渚港之後興起的兩個大港。鄭和下西洋把太平港作為南下的一個補給港。長樂梅花還是明代冊封琉球的開洋港。在對外交往活動的過程中，形成了中國文學史上非常獨特的一個作家群，這些作家寫下了許多航海的作品，寫下許多反映異域風情和中外友好往來的作品，為中國文學增添了絢麗的色彩。這一作家群的代表人物是充任冊封使的林麟焻和謝傑等。另一個是十分關注海上貿易的作家群。明代中晚期的泉、漳作家群中重要的作家如王慎中、李贄、黃克纘、張燮、何喬遠等，無例外地主張開放海禁。萬曆間莆田作家懋華還唱出了「海島諸番互市開，珊瑚萬枝夜光杯」（《番帕》）這樣的頌歌。最近，君堯送來他的新著《中國古代海洋文學》一書的列印稿，我很高興，因為君堯關注的面較為寬廣，思考的問題也比較多，從先秦一直到清代，書雖不以「史」名，實際上是卻一部通代的中國海洋文學史。如果沒有判斷錯，這部書應當是第一部中國海洋文學史，至少是一部較早的海洋文學研究專著，篳路藍縷，草創之功，值得讚賞。

《中國古代海洋文學》一書，注意在中華文化和中華海洋文學文化的背景下來研究中國的海洋文學。有人把中國的文明分區為以中原為代表的黃色文明和海洋為代表藍色文明，而且時常討論兩種文明孰優孰劣。其實，無論中原的文明或者是海洋文明，都是中華文明的組成部分，不存在孰優孰劣的問題。上古以至中古，海上交通的技術不夠發達，或許中原的文明更有優勢；宋元以後，海上交通發達了，海上文明也隨之凸顯。中國海岸線長，在國勢強大、海上交通技術先進的前提下，有著許多的優勢；反之，如果國勢弱、海上交通技術落後，顧此失彼，有時免不了要受到外來列強的欺侮，晚明、特別是近代的歷史教訓，不能不引起我們的注意。君堯能獨立思考，研究的立意比較高遠。

認識君堯已經二十多年，剛剛認識君堯，他的女兒還在幼稚園，如今大學畢業已經好幾年，在北京當上公務員了。二十多年來，君堯的學術發展很不容易。我有一種感覺，那就是君堯對學術具有追求不舍的精神。一九六六年，君堯正在求知欲望最強烈的年齡，和許多同代人一樣，學業突然中斷，以後一路坎坷。到了生活比較安定，工作也調到學校之後，歲月已經不太饒人。多數像他這樣經歷的人，或謀求一個好一點的職位，或評一個可以過得去的職稱，或什麼都不再進取，安於現狀。君堯不僅到我這兒做訪問學者，還制訂一個比較長遠的研究計畫，不斷思考，不斷寫作。君堯在學校是一個部門的行政負責人，工作繁忙，他的讀書和寫作都是在工作之餘，硬擠出休息的時間來完成的，很不容易。君堯多才多藝，吹拉彈唱，琴棋書畫，生活豐富多彩，和君堯在一起，常常感到很快樂，很開心。

《中國古代海洋文學》即將出版了，不是說這部書沒有不足，沒有缺點。任何一部著作，都有可能存在這樣那樣的缺點，存在這樣那樣的不足，這是不奇怪的。君堯這部書，二十來萬字，要完全描述從先秦到晚清中國海洋文學的方方面面，無疑也是困難的；沒有關照到的問題肯定也會有的，也是難免的。我們期待君堯在完成此書之後，再進一步做一些專題性的研究，再出更多更好的成果。不知君堯仍然有志於此否？

二〇〇八年十一月十六日福州古望北台下

胡金望主編《文海揚波——福建省第三屆古代文學研究會學術集萃》序

福建省語文學會成立於上世紀五十年代，掛靠在福建師範學院中文系，會長黃壽祺教授。五六十年代，學術性的學會很少，學科的劃分比較粗放，而且不是所有的學科都有學會，因此，省級的學會名聲很響。省語文學會是福建省文學、語言研究和教學的學術團體。懸掛在原師範學院中文系前的「福建省語文學會」的大牌子成了這個系的師生的一種榮耀。一九六六年，「福建省語文學會」牌子不知何處去，學會隨之消失。七十年代末，師範學院復辦，並更名為福建師範大學，黃壽祺教授由中文系主任升任副校長，接任系主任之職的是俞元桂教授。八十年代初，經福建師範大學和廈門大學兩校中文系領導協商，福建省語文學會一分為二，相繼成立文學學會和語言學會。文學學會掛靠在福建師範大學，語言學會掛靠在廈門大學。不過，即便是這兩個學會，也已經不可能涵蓋一九六六年之以前語文學會所涵蓋的學科範疇，因此在這兩個學會成立後的三數年內，又新成立了諸如寫作學會、比較文學學會、修辭學會、文學語言學會等省級學會。

新成立的文學學會，由俞元桂教授任會長。為了便於學會開展工作，俞元桂會長提議，並經有關部門批准，學會下設四個研究會，即中國古代文學研究會，掛靠漳州師範專科學校（已恢復為漳州師範學院）；中國現代文學研究會，掛靠集美師範專科學校（現併入集美大學）；文藝理論研究會，掛靠福州師範專科學校（現併入閩江學院）；大學語文研究會，掛靠華南女子學院（現掛靠福建工程學院）。中國古代文學研究會首任會長林繼中，副會長廈門大學蔡景康、福建師範大學陳慶元。林繼中教授擔任漳州師範學院院長之後，由陳慶元接任會長。陳慶元接任第四任福建省文學學會會長之後，由漳州師範學院胡金望教授接任第三任中國古代文學研究會會長，仍舊掛靠在漳州師

範學院。省文學學會對漳州師範學院表示誠摯的謝意！

二〇〇五年換屆以來，中國古代文學研究會理事會做了許多工作，分別在泉州師範學院、武夷學院、三明學院舉辦了三次年會，出了多期簡報，與會員聯繫更加緊密。二〇〇八年在三明舉辦的年會上，胡金望會長將會議的論文結集出版的設想，得到與會代表的贊許。會後，研究會積極籌措出版之事。年末，出版之事有了眉目，胡金望會長囑我作序。借這個機會，我談談自己的一些看法。

一九七九年福建省培養本科生的中文系只有兩個半。兩個中文系，即廈門大學和福建師範大學。另個半個，是華僑大學中國文化系，它既包括中文專業，還有其他的文化專業，所以只能算半個。廈門大學和福建師範大學的中國古代文學專業，都是國家首批碩士點。近幾年，福建省有中文系的本科院校已經發展到十幾所，都可以授予學士學位。中國古代文學碩士點新增了華僑大學、漳州師範學院和集美大學三個點。福建師範大學和廈門大學還先後有了古典文獻學的碩士點。可喜的是，一九九八年福建師範大學獲得中國古代文學博士點，二〇〇五年福建師範大學獲得中國語言文學一級學科授權點，次年開始招收文獻學博士生。福建師範大學和漳州師範學院的中國古代文學學科還是福建省的重點學科，漳州師範學院中國古代文學碩士點還是福建省研究生創新基地。福建省中國古代學科建設有了長足的發展。

其次，我們的教學和研究隊伍不斷壯大。我手頭雖然沒有具體的數字，但近年來我走訪了多所兄弟院校，大多院校都引進了數量不等的高級人才，他們來自四面八方，給福建省的古代文學教學和研究帶來新的氣象，很多人還成了我的很好朋友。古代文學研究會換屆以來，每年來參加年會的同行都有新面孔，這些新的同行大多來自中國各重點大學的中文系，大多都具有博士學位，甚至有博士後工作經歷。他們都受到過良好的學術訓練，學有專長，目光敏銳，勤奮著述，使得我們的隊伍更加富有朝氣。

再次，研究正在形成特色，成果的數量和品質不斷提高。廈門大學的唐五代文學研究、詞學、戲曲學和古代文論研究，福建師範大學的先秦經學與文學研究、漢魏六朝文學研究、元明清小說戲曲和詩文研究、區域文學研究，華僑大學的漢唐及宋文學研究，集美大學的六朝文學和戲曲小說研究，福州大學的小說研究，漳州師範學院的文化詩學、楚辭學和小說研究，泉州師範學院的賦學研究，閩江學院的易學與文學、近代文學和小說研究，莆田學院的媽祖文化與文學研究，龍岩學院和三明學院的客家文化與文學、小說研究，武夷學院的武夷文化與文學研究、工程學院的詞學研究、省委黨校的地方文學與文獻研究等，都較有影響。近幾年的研究成果，越來越豐碩。老一輩專家，著述不輟；中年專家努力創新；新一代學者不斷嶄露頭角，剛剛參加工作兩三年的博士多數都已經有專著出版。人民文學出版社「中國古典文學研究叢書」，我們福建省高校的作者（含畢業的博士生）有十來位，所占比例很高。這裏舉的僅僅是一家出版社的情況，我們還有不少的著作在很有影響的出版社出版，這裏不能一一列舉。

學術是有承傳的，早年陳衍老人、魯迅先生等在廈門大學執教，可能比較遙遠了，但是我們講廈大中文系不能不講石遺老人、講魯迅。建國之後，語文學會會長黃壽祺教授不僅是福建師範大學中國古代文學學科的奠基人，在海內外還享有很高的聲譽；首任文學學會會長俞元桂教授，建國之後雖然從事的是現代文學的教學和研究工作，但之前在他作的碩士論文卻是古代文學的研究。兩位先生雖然已經離開我們，但是他們的學問卻溉澤了一方的學者，他們對福建省中國古代文學的學科建設傾注了心血，後學晚輩將永遠感謝他們。廈門大學蔡景康教授，是古代文學研究會副會長，對研究會的工作也做出了很大的貢獻，可惜蔡教授前年已經離開我們了。陳祥耀教授年近九旬，仍然在從事《清詩選》新版的修訂工作；周祖譔教授、蔡厚示教授、穆克宏教授、張文潛教授八十高齡了，他們都是福建省中國古代文學研究的名家，為我們福建省的中國古代文學的研究贏得很高的聲譽，我們祝福他們健康長壽。

回顧福建省古代文學研究會成立二十年來走過的里程，我們取得了很多的成績，但是在當前，我們的研究工作還有一些問題需要思考。

近年來，許多地方政府非常重視文化，有的還提出文化搭台經濟唱戲的設想，文化為經濟服務，文化為社會服務，文化為大眾服務，無可厚非。近年來，中國古代文學的研究還提倡與相臨或相近的學科進行交叉研究，學科交叉的研究固然需要，有時交叉研究還可能帶來突破。不過，中國古代文學學科，也有自身的學科特點，那就是研究應立足於文學，研究應立足於文本，立足於作家本身或相關的文學流派。我們不能把中國古代文學的研究論著寫成文化學的研究論著，也不能把它寫成純哲學的研究論著。某一文化視野下的文學研究，根本還在於文學；學科交叉研究，是以文學為主體交叉相關或相近學科的研究。中國古代文學的研究，還是應當打好基礎的，應當提倡學風嚴謹。近讀一本談文化的書，作者在沒有任何證據的前提下，斷定閩縣人徐𤊹卒於清順治二年（一六四五）；還有一本書，同樣沒有論證，說他卒於明崇禎十二年（一六三九）。其實，曹學佺《挽徐興公時予在困關》（《西峰六九集詩》，《列朝詩集》丁集下作《挽徐興公壬午冬》），陳衎《哭徐興公》二首（《大江草堂二集》卷五），顧夢遊《哭興公》六首（《顧與治詩》卷八）俱在，我在十二年前推斷的徐𤊹卒於明崇禎十五年（一六四二）的結論無可懷疑（詳《福建文學發展史》三百三十一頁，福建教育出版社，一九九六年版）。

我個人還認為，一個古代文學研究者，必須具備三方面的能力，一是能寫論著，二是能進行作品鑒賞，三是能從事古籍整理工作。我的意思不是說，一個研究者都應該都有這三方面的成果，我這裏說的是能力。論著，當然沒問題，現在各級教育行政部門都非常重視論著，並且將其作為評判一個學者水準高下的重要標準。作品鑒賞，因為高校的教師都得給學生上課，上課離不開鑒賞，鑒賞水準的高低，學生可以評判。至於古籍整理方面，目前處在比較尷尬的境地。評定職稱或計算成果，古籍整理的成果常常被擺在比較低的位置，有時還慘遭「不算數」的待遇。我們只要看看中華書局、上海古籍出版社這兩家出版社所出版的古籍整理著作，我們哪位古代文學研究者沒有使用過他們的古籍整理之作，就可以知道古籍整理是如何的重要！還有人民文學出版社所出版的系列選本，我曾經寫過一篇短文，叫做《優秀選本的魅力》，大意是說，建國之後成長起來的古代文學研究者哪一位沒有得益於這套書？有一位現在名氣不小的清詩研究者，曾經對我說：福建師範大學中文系古代文學教研究室編注的《清詩選》是他學清詩的入門書。就我個人而言，也大抵如此，余冠英先生的《詩經選》、《漢魏六朝詩選》等都是我的入門書，對我影響巨大。因此，我提倡研究會的同仁，在學有專長之後，多多關心古籍整理工作，給後來者的研究帶來更多的便利。

這部論文集就要出版了，我衷心希望各位同仁有更多的好成果問世，衷心祝願研究會越辦越好！

戊子之年除夕於福州三縣洲橋南

寧淑華《南宋湖湘學派的文學研究》序

寧淑華來濱海城市福州讀博，學成之後，回湖湘了。臨行前，淑華來道別，並說，她的博士論文《南宋湖湘學派的文學研究》已交給出版社，要我作一篇序。

宋代的閩學，在理學家中自成一派。十五年前，我對宋代閩籍理學家作了一個粗略的梳理，並製作了一個師承關係簡表（詳《福建文學發展史》第三章第二節，福建教育出版社，一九九六年版）。這個表，包括了後來去了湖湘的胡安國和胡宏，也包括了出生在福建的婺源籍理學大家朱熹和胡宏的弟子湖湘籍的張栻。朱熹生在福建，長在福建，在福建活動的時間超過六十年，研究閩學、研究宋代福建的地域文學，一定得關注朱熹，一定得對朱熹的理學、朱熹的文學思想和文學創作，乃至於他的交遊，有比較深入的瞭解。乾道三年（一一六七），朱熹來到潭州，與張栻等遊南嶽，有《南嶽倡酬集》傳世。為了對朱熹有更一步瞭解，還需要知道張栻和他的思想，他的詩。做研究就是這樣，為了研究一個論題，必

須關心次一級、次二級，甚至次三級、四級的問題。你研究這些次級問題時，有時也會覺得這些次級的問題相當重要，甚至不亞於、甚或超過你研究的論題，那麼，這些次級的問題則有時就可能上升為新的論題，讓你繼續研究下去。每次研究一個論題，都可能帶出幾個問題；幾個論題中可能有一個或兩個成為新論題。就這樣，新的論題生生不息，研究也就無窮無盡。一個人的精力有限、生命有限，那麼自己有朋友、弟子、學生還可以不斷地研究下去。

寧淑華來我這兒讀博士，我想到湖湘派。湖湘人做湖湘派的研究也許有她的長處，我的想法雖然不一定十分正確，但也有它的道理。畢竟，淑華從小生活在那片土地上，對那裏的山山水水，風土民情會有比較多的瞭解，至少，要比那些對湖湘的地理、歷史若明若暗的學者有更多的便利。因此，寧淑華就選擇了《南宋湖湘學派的文學研究》作為她博士論文的題目。

論文動手之後，寧淑華碰到不少困難。理學家的文章，除了一小部分政論和應用文之外，那些修身養性、講性命道氣之類的文章是比較難讀的。《南宋湖湘學派的文學研究》雖然只選擇了比較重要的六家，通過閱讀，要弄清這六家理學的主要觀點，以及他們之間的同和異，就得花不少的時間。理學與文學，屬於不同的兩個研究領域。理學，屬於哲學史或思想史的範疇。理學家之文的閱讀，靠的是邏輯思維；文學的研究，除了邏輯思維，對作品的理解，有時又免不了形象思維。在研究時，還得尋找理學思想與文學

思想的關係，兩者之間，有時是有關聯的，有時關聯並不那麼緊，甚至有時看不太出來有關聯，這就需要仔細地閱讀作品，認真思考。寧淑華克服了種種困難，終於完成了論文的寫作，值得祝賀！

這篇論文體現了寧淑華四個方面的能力：

一、發現問題與解決問題的能力。論文的寫作，首先是發現問題、提出問題，然後才是解決問題。《南宋湖湘學派的文學研究》一文提出了一個「南宋湖湘學派總的文學特徵是什麼」這樣一大問題，也是要著力解決的大問題，但是要解決這個大問題，必須先解決一些相關的小問題，例如什麼是湖湘學派？湖湘學派的主要成員是哪些人？代表人物又是誰，他們的理學觀點最重要的是什麼，文學思想又是怎樣？他們的創作成就如何？代表人物之間的關聯，相同點與不同點，等等。為了解決南宋湖湘學派總的文學特徵，論文對六個有代表性的理學家、也是代表作家，作了逐一的、比較詳盡的分析研究，最後才得出這個學派總的文學特徵的結論。

二、資料的搜集、分折、排比的能力。湖湘學派的文學研究這樣的論題，題目不算大，但是涉及的面卻不太小，需要搜集的材料比較多。首先，是歷史資料，兩宋之際，社會發生很大的變動，或攻或守，或戰或和，上至天子王公大臣，下至文人學士庶民，誰都得面對這個問題，理學家們也不能免，這些資料不能不搜集。其次，是理學的材料和文學的材料。由於時代比較久遠，文學的資料欠缺較多。資料搜集之後，哪些當用，哪些暫時不用或用不上，也得進行一番取捨。這方面的工作，淑華做得較好。論文的寫作材料比較豐富，又無拖泥帶水、堆砌之嫌。

三、思辨與考辨能力。思辨能力表現在論的方面；考辨能力表現在考的方面。有些學者，能論而未必能考辨；有些學者能考辨而論述或展不開，或難深入。論文的寫作，尤其是研究理學，具有較強的思辨能力非常重要。寧淑華在看到湖湘派代表人物胡安國、胡寅、胡宏、張栻等人理學思想和文學思想同的方面，又能比較仔細地分折他們之間不同之處，結論讓人信服。附錄兩篇，一篇是《胡寅與秦檜關係考》，另一篇是《〈胡宏上堯皇帝書〉寫作時間的考辨》，考辨的都是比較重要、且尚未引起論者注意的問題，材料翔實，推理嚴密，相信可以引起學界的興趣。

四、感悟能力。文學研究，不同於哲學研究或理學研究，文學有它的特殊性。文學研究首先是讀懂作品，理解好作品。讀懂、理解，是說要讀懂字詞句，是說要理解一篇文章、一首詩詞的內容是什麼，講的是什麼。如果僅僅做到這一步，還是很不夠的，研究文學，還要求研究者對文學作品、對文學有特別的感悟能力，研究者還必須用心去體會、領悟，體會題外之旨，領悟嚴羽所說的空中之音，相中之色，水中之月，象外之象。從整體上、或某個細節上去感悟一個作品的好或較好，美或較美。感悟流派與流派之間，作家與作家之間、作品與作品之間的或巨大、或細微的區別。一個作家感動你，一個作品感動你，你要能夠把你所感動的東西用文字表達出來，並且傳遞給其他的讀者，讓他們和你一起分享，讓他們也和你一起感動。在湖湘派中，淑華特別喜愛張栻的詩。張栻說：「興來即傾酒，語到亦論詩。」「興」與「語」雖然不能互文，但下句的論詩，不僅僅是「語到」方論詩，「興來」亦可論詩的。理學家講文以明道，甚至講文以妨道，而張栻的興來、語到論詩和一般的理學家還是有較大區別的。興，有各種含義，嚴羽所講的「興趣」即是其一。從這點看來，張栻的論詩多多少少還是和嚴羽有點相通之處的。好的詩，可以有風格的不同，表現手法的不同，等等；從欣賞者來講，也有各人情趣的不同。但好詩也有一定的通則，理學家中的詩，劉子翬的詩是好的，朱熹是好的，張栻也是好的。論文中，淑華是用心去體會、用心去感悟張栻詩的，所以這一章寫得較有新意。

由於寧淑華具備以上四種的能力，綜合地看，她已經具備了較強的科學研究能力，研究已經逐步走向成熟的階段。

序文寫到這裏，似乎可以結束了。但是，我還要補充兩點：

我們上面比較多地談到詩，我要補充說的第一點，是寧淑華的這篇論文還較深入地分析了湖湘理學家的文。也許有讀者會說，理學家之文就是理學家之文，文學方面有什麼好分析的？其實，理學家寫的文章未必篇篇講性命修身，即使純粹的理學之文，也有講究作法和文字表達的問題。兩宋之際，內憂外患，胡安國和胡宏的時事政論，取材重大，或取則《春秋》，精嚴有法；或以氣行文，剴切尖銳，研究宋代散文，不能不加以關注。胡宏一章，作者專辟一節，對他的重要文章《上光堯皇帝書》、《與秦會之書》、《與高抑宗書》三文作了分析，特別是《與秦會之書》一文，作者分析其婉拒藝術，頗為精到，為前人所未道。

寧淑華寫這篇論文寫得非常艱苦，我說的艱苦不是她基礎差什麼的，淑華本科是在北京師範大學讀的，碩士研究生是在湖南師範大學讀的，她受過嚴格的學術訓練。我說的是在寫作的過程中她克服了許許多多的困難。有些困難，她在後記中說了，有些她沒有說。我的學生，和她同一屆的，或比她高一屆或低一屆的，都很佩服她的韌勁，她的不折服的韌勁。一旦認准了，她就韌勁地走下去。就這樣，她克服了其他同學恐怕不太容易克服的困難，完成了自己的學業，完成了自己的論文，並且得到好的評價。同學們說：湖南的辣妹子大概就是這樣！這是我要補充的第二點。

一屆又一屆的學生畢業了，學生一本又一本的著作出版了，由衷地為他們高興；淑華的論文就要出版了，我同樣為她高興。如果說還有什麼期待的話，我期待她將來能做一部研究宋代理學流派與文學關係的著作。不是說宋代理學家的文學沒有專家研究過，而在我看來，宋代理學家有各種的流派，河洛派、閩派、湖湘派等等，不同的流派，理學思想有其相同的地方，也存在不同點；同樣，不同流派理學家的文學觀，也有其相同的地方，也存在不同點。而且，各個流派之間，學者和文人也有相互交往，他們的理學思想和文學觀也可能有交融。我在從事閩派研究時，想到湖湘派，但是沒有進一步研究下去。今天，淑華做湖湘研究，明天，能不能進一步擴大視野，從湖湘關注到河洛、關注到閩，關注到其他流派，進而完成我上面設想的課題？

二〇〇九年七月十四日

陳恩維《模擬與漢魏六朝文學嬗變》序

模擬，是人類的一種本能。小孩模擬大人的動作、語言；一般人模擬歌星的的唱腔、唱調以至於神情；畫家寫生，把靜物盡可能地用他的筆模擬在畫板；舞蹈家模擬飛禽走獸（例如孔雀），用他們肢體加以展現。小孩不論，一般人模擬歌星無非是消遣消遣，樂一樂。而上面說到的畫家、舞蹈家，則是一種創作，他們模擬得越像、越傳神，就越能讓欣賞者得到美感，也就越能得到人們的讚譽。但是，一談到詩詞賦的模擬，讀者、特別是評論家馬上就非常警覺，當然，文學創作的模擬和寫生、舞蹈表演的模擬還是很不相同的，前者模擬的對象是靜物、飛禽走獸，而後者則是人類精神活動的成果——詩賦詞等。詩賦的模擬，如果僅僅是亦步亦趨，甚至是如印印泥，那就談不上創作，甚至可以視之為蹈襲了。近三十年來，漢魏六朝詩賦（主要是六朝詩）模擬之作的研究，就是針對創作而言的。

漢魏六朝時期，文學現象十分豐富，詩體和賦體的體式，嬗變劇速。賦體，由騷體演變

為大賦，又由大賦演變成抒情小賦，最後由抒情小賦演變成駢賦。詩體，由四言和騷體演變成五言、雜言、七言，到了齊梁，五言詩又嬗變出被稱為「新體」的講究四聲的詩體。再如樂府，曹操改造《薤露行》、《蒿里行》，用以寫時事。《宋書・樂志》所載那些「晉樂」所奏的歌詩，例如本於漢代的《東門行》或曹操的《短歌行》，當代學者強烈感受到的是「思想性」的差異，而忽略了為了演奏而對這些前代作品進行改造的目的。齊梁的樂府，對前人的變革更加激烈，謝朓把軍樂《鼓吹曲》用來寫道路從行，唱出「江南佳麗地，金陵帝王州」這樣的麗句。在漢代原本是嚴肅卻不免板滯的郊廟歌辭，而沈約卻力圖將其文學化，「雜用子史文章淺言」，在其身後，不免遭到蕭子雲等人的激烈批評。若無新變，安能代雄？六朝文人創新的觀念，又推進了這個時期文學的發展。

然而，自兩晉以來，明顯模擬前人的詩歌卻又大量出現，幾乎所有稱得上大家的詩人，翻開他們的集子，很難找不到他們的擬、學，以及仿效之詩作。高華如陸機，他不免寫下《行行重行行》等擬古詩十餘首。平淡如陶潛，也有《擬古詩九首》、《擬挽歌三首》。才高氣傲的謝靈運，《擬魏太子鄴中集》，與他的山水詩似乎大相徑庭；俊逸如鮑照，《擬古詩八首》、《學陶彭澤體》和他的那些樂府詩也頗不相類。長於清怨的沈約，看重古詩《青青河畔草》，也有一篇擬作。詩體總雜的江淹，那組多至三十首的《雜擬》，幾乎成了他的代表之作。清新如庾信，由南而北，他的《擬詠懷二十七首》，雖然學的是阮籍，亦是集中的傑構。謝朓看似是一個例外，小謝集中沒有一首「擬」、「效」、「學」的作品，但是他的《三日侍宴曲水代人應詔九章》等「侍宴」之作，與顏（延之）謝（靈運）的《三月三日侍宴西池詩》，似也不免有「學」的成分。

一方面是強烈的新變，另一方面又不斷地模擬，在魏晉南北朝詩歌發展的進程中形成了看似是背道而馳的「兩極」。三十年多來的文學史家和古代文學研究者，看重「新變」，並對其作深入的探究，這是非常必要的。但是，在看重「新變」這一主流的同時，是否也需要關注非主流的「模擬」的問題？況且，「模擬」果真與這一時期文學、特別是詩歌的發展進程一點都沒有關係？而且，同樣是模擬，是不是都是因襲或覆蹈前人；同樣是模擬，是一般的習作，還是詩人作家另有寄託；同樣是模擬，在形式上有沒有突破前人，藝術上有沒有超過前人？不同的時代，文學新變的內涵是不盡相同的；不同的時代，文學作品模擬的內涵也是不盡相同的。就詩人和作家而言，新變之作，是千差萬別的；模擬的作品，也是千差萬別的。三十多年來，對魏晉南北朝模擬之作的研究，包括港臺學者在內，應該說取得了不小的成績，有些個案的研究，也相當的深入，例如對江淹的雜擬詩的研究，就有不少很好的研究成果。但是，把「模擬」作為魏晉南北朝一種比較獨特的文學現象來加以審視、研究，並作一個整體的把握，似乎還存在欠缺，也還有較大的發揮空間。

恩維是廣西師範大學胡大雷教授的碩士研究生，獲得碩士學位後又到蘇州大學從王鍾陵教授治中古文學。胡大雷教授、王鍾陵教授都是我多年的朋友，恩維從兩位教授那兒學到不少學問，也學到良好的治學方法。恩維在蘇州大學獲博士學位之後到廣東一所大學任教。我認識恩維，是他在廣西師大獲碩士學位的前夕。兩年前，恩維說，想來福建師範大學從事博士後的研究工作，邀請我做他的合作教授。我們一起討論了在站工作報告的選題。現在，恩維完成的這部稿子，就是他的出站報告。

最初的選題，集中在魏晉南北朝詩的方面。在寫作過程中，恩維覺得，魏晉南北朝詩存在著模擬的現象，賦也同樣存在，而且，兩種文體一起研究，可以加深對這一時期文學模擬現象的瞭解。再者，如果也研究賦作，勢必上溯到兩漢，兩漢賦作的模擬也是很有特色的文學現象，也很值得重視。詩賦兩種文體同時研究，兩漢與魏晉南北朝文學的模擬現象打通研究，也就成了這部稿子的一個特點。這部稿子還有不少亮點，例如把模擬現象放在文學演進的背景來加以動態的考察，避免了單一化，既瞻前也顧後，前後觀照，可以看到不同時期模擬文學現象的各自的特點。模擬之作是否注入了作者的情感，有沒有抒情的成分？模擬之作能不能展示作者的創作個性？模擬之作，有沒有創新，在文學發展的進程中能不能起某些促進的作用？此外，文稿還討論了模擬之作與中古文論之間關係的問題。所有這些，恩維在文稿中都作了很好的闡述。整部書稿的架構比較完密，觀照到漢魏六朝模擬文學現象的方方面面。

一九九九年一月，劉躍進先生和范子曄先生合編的《六朝作家年譜輯要》（黑龍江教育出版社）出版，書中年譜最年輕的作者是我的一位出生於一九七〇年代的在讀碩士研究生。子曄先生對我說，六朝文學的研究隊伍中，一九五〇、一九六〇年代都有做得不錯的學者，一九七〇年代的出類拔萃的，好像還沒見到。二十多歲的年輕碩士生，要做得好，的確要有一個過程。子曄先生還對我這個學生寄以厚望。恩維也是出生於一九七〇年代，雖然距一九九九年已經過去十年了，恩維是不是屬於出類拔萃者，我不好斷定，但是，他從碩士到博士，又在博士後流動站工作，所從事的研究都是六朝文學（上溯到兩漢），已經積累有年，而且這部書稿又馬上要出版了，相信他在今後能夠對六朝文學的研究有進一步的貢獻。恩維為人謙和樸質，讀書寫作都很勤奮，所在學校又為他提供了還不錯的條件，在六朝文學的研究方面有更多的創獲，一定是可以做得到的。恩維出站的日子臨近了，又要回廣東去了，將來見面的機會可能不會非常多，但是，常常在刊物上見其文，不是如同見其面，如同聞其聲嗎？

序文寫到這裏，似乎可以擱筆了。近來為一家出版社作一陶集的注釋與解讀，正在校清樣。因此也就想起一九八〇年端午從段師熙仲先生（一八九七－一九八七）處借得影宋本《陶集》。先生在書後附記了一段話，大意是：民國十五年（一九二六）從興化李審言先生治陶，審言先生課以《擬陶詩》一首，記得有「谷風散微雨，新苗日以新」二語。時年六十有三，距肄業時已三十三年矣。段先生記此事為一九五九年，去今整整五十年矣！漢魏六朝文學的模擬現象，似乎已經是很遙遠的事了。作為研究，作為研究者，恩維選擇這個課題，而且能做到這個地步，實屬不易。我和恩維都是教師，我想，作為一個教師，李詳（審言）先生的教學方法是不是對我們也有啟示？課陶，師生一齊作篇《擬陶》試試；課謝，大家一齊作一篇《擬謝》試試，是不是更有益於教學，更能促進教學？是不是對陶、對謝能有進一步的瞭解？是不是也就大體上知道了「模擬」的滋味了？古調雖自愛，今人多不彈。恩維大概不會責怪我不合時宜吧！其實，審言先生去咱們這個時代還不算遠。

二〇〇九年歲杪

阮娟《三山葉氏家族及其文學研究》序

阮娟的博士論文《三山葉氏家族及其文學研究》，五月底通過答辯。六月，三山（福州別稱）葉毅庵（觀國）後人的代表，約見阮娟，支持這篇博士論文出版。九月，上海古籍出版社同意出版。毅庵後人和阮娟都希望我能為這部書作一篇短序。

我指導博士生已經十多年，今年獲得博士學位的兩位學生年齡是歷屆最輕的，其中一位就是阮娟。我的學生中，出版博士論文，年齡最輕的也是阮娟。當然，如果說我的學生在上海古籍出版社出版論文，阮娟就是不第一人了。

研究地域文學二十年，家族文學一直在我關注的範圍之中。學生中研究家族文學的已經有好幾位。阮娟入學之後，很快就投入緊張的學習，她第一次和我討論論文題目，我就說，你自己如果還沒有選題，就選三山葉觀國這個家族吧！過了些日子，阮娟讀了我開的若干書目之後，對我說，就定這個題目了！我對阮娟說，做這個題目，除了文獻資料之外，必須特別注意三點：一、葉氏是三山大族，當修有族譜，族譜是一定要看的；二、尋訪葉氏故居，感受葉家昔日的生活環境和氛圍；三、想辦法拜訪毅庵後人，或許能找到新的資料。

（民國）《福建通志．列傳》卷三十七有《葉觀國傳》，緊接著是觀國次子申棻、三子申慰、四子申藹、六子申萬、季子申薌，孫輩有修昌、儀昌，曾孫有滋昌、滋森，玄孫有大焯、大遒、大莊，共十三人；附傳者還有十數人之多，其中包括大焯之子在琦。請注意，這是一省的省志而不是一個縣的縣志或一個府的府志，近二百年的時間，一個家族，這麼多人入省志之傳，實在是不多見。據阮娟的統計，葉觀國一族六代（輩分為：觀、申、昌、滋、大、在），中過舉人的有四十五人，其中後來又中了進士的十六人。這個家族「累代甲科」（除滋字輩共五代）「五子登科」（觀國子五人）、「六子登科」（雲滋子六人）、「五世八翰林」（父子翰林二例、祖孫翰林二例、兄弟翰林和叔侄翰林各一例），在清中葉和晚清科場內外傳為佳話。家族的研究是家族文學研究的基礎。沒有什麼科舉功名的家族能成為文化世家的雖然有，但例子不一定很多；而累世科名的世家，必定是一個文化深厚的家族。阮娟研究三山葉氏家族，從科舉入手，抓住這個家族的關鍵。科舉世家，必然也是官宦世家，阮娟研究這個家族的文化特徵，除了長於文學之外，她認為三山葉氏家族累世為宦，都以清介稱，以體察民瘼著名。這一家族另一個文化特徵，是晚清為宦的葉家子弟，大多關

心科技，熱心西來之學，以至進入二十世紀之後，隨著科舉制度的廢除，部分葉家子弟不株守舊學，而是傳向新學，轉向科技，名享海內外，令人刮目相看。這雖然是後話，但可以看出這個家族的文化精神所在。

阮娟這篇論文，上編家族研究，下編文學研究。三山葉氏自觀國以下六代，文士輩出，不少人有集。即便沒有集，也有詩文傳世，為了研究的方便，阮娟對葉氏家族的詩作了輯佚。當然，研究葉氏的文學創作，最重要還是他們的詩文集。葉觀國有《綠筠書屋詩鈔》，葉申藹有《蔭余軒詩文集》、並輯周秦以來詩歌為《退食吟鈔》，葉申萬有《餐英軒詩鈔》，葉申薌有《小庚詞》和《小庚詩存》，葉儀昌有《永陽遊草》，葉滋森有《蝠岩仙館詩稿》，葉大莊有《寫經齋初稿》、

《寫經齋續稿》、《寫經齋文稿》、《小玲瓏閣詞》，葉在衍有《唐風集》，葉在琦有《稊愔詩鈔》，葉在畬有《羅山詠事詩》等，至於其他雜著，一時難記其詳。在這延綿六代近二百年的時間長河中，阮娟的論述以葉觀國、葉申薌和葉大莊為中心。葉觀國，作者在考察其詩時兼論清朝中葉的閩詩風，避免就詩論詩、就事論事的毛病。葉申薌是閩詞中興的重要推手，自己有詞集，並且編就《閩詞鈔》、《本事詞》、《天籟軒詞選》、《天籟軒詞韻》，對晚近詞學的發展做出較大的貢獻。謝章鋌的《賭棋山莊詞話》和其他著作，對葉申薌有許多很好的評價。葉大莊是晚近重要的詞人，名列於「清詞百家」之中；同時他還是「同光體」閩派的重要詩人。六代人，二百年，數十詩人、詞家，阮娟對以上三人進行詳論，大體上可以看出這個家族的文學風貌。當然，如果有可能，工作還可以做得更細緻一些，關注的面還可以更寬泛一些，或許能更加全面地展現三山葉氏家族的文學風貌，以見出這個家族的文學特點。

阮娟這篇論文，有多種附錄，其中包括《葉觀國年譜》、《葉申薌年譜》兩個年譜。葉觀國、葉申薌的年譜是前人沒有做過的，是研究這兩位作家的基本材料，也是研究三山葉氏的基本材料。我指導碩士生和博士生寫畢業論文，凡是他們做作家個案研究的，只要這個作家前人沒有做過年譜的，我都要求他們先做一個年譜；前人已經做了年譜的，可以增補的，應加以增補；前人年譜有明顯失誤、錯訛的應加以訂正，然後再作進一步的研究。阮娟的論文做的是家族文學研究，葉觀國、葉申薌又是其中兩個關鍵人物，有這兩個年譜，當然是非常好的。但是，由於是做家族研究，三山葉氏從乾隆至清季近二百年，主要人物至少十數人，如果從這個角度看，這兩個年譜似乎又很難反映這個家族二百年的重要活動，依我個人的看法，將來如有可能，不妨再做一個《三山葉氏文學活動年表（清中葉至清季）》，或許可以較清晰地看清楚這個家族文學活動的概貌。葉觀國有七子，七子即七房，這七房的延續和發展也是不平衡的。阮娟的論文有一小節專門探討三山葉氏的興衰。一個家族的興起，是令人興奮的，但是家族繁衍數代之後，隨著人口的增加，各房之間的差異也就呈現出來了。早先，三山葉氏這個家族是聚族而居的，由於仕宦及其他原因，子孫後代有的便遷徙他處；

不可諱言，有的也衰落下去，甚至破敗了。當然，我們很不願意看到衰落或破敗，但是作為科學研究，又不能不正視這個問題。謝章鋌《校閱餘話》：「一日，有書賈以舊藏十數種來售予，視之，皆葉氏物也。驚問之，則云：葉家驟落，資產皆以抵債，即書籍亦皆散失。予為之泫然，幾至失聲。」（《賭棋山莊餘集》卷三）謝章鋌幾至失聲，我也不覺為之噓唏。這段話之前，說的是葉滋森和葉大莊父子之事，這樣說來，葉氏這一支遷到陽岐，到了十九、二十世之交，到葉大莊卻衰落了。在現實生活中，強勢的人往往容易引起人們的注意，其實，我們更應該關注那些暫時處於弱勢的人們。而家族文學的研究，同一個家族的文學家，無論其成員地位高低，家道如何，都同樣值得研究；對他們的評價，重要的是他們文學創作的成績。

阮娟考取博士時，我有點懷疑她能不能在三年內完成一篇像樣的論文。碩士畢業，大家忙著找工作，阮娟也不例外，雖然她同時也報考博士，但是誰也不知道她能不能被錄取。結果是，她以第一名的成績被某師範學院錄用為政治輔導員，又被福建師範大學錄取為博士生。於是，她開始奔忙，有時為了上課，有時為了工作，她不惜花很多金錢去打車——其實，她並不是富家子弟。我很希望她能辭職專心讀書，但是她有點捨不得那份工作；等到她想辭去那份工作，反過來，我又不太希望她離開那所大學，因為那所大學對她很看重，本科評估，她是展覽館的講解員，深得專家組的好評；該校的閩台中心展覽館，她也是講解員。我作為專家，還聽過她的一次講解。如果我是校長，一定會想盡辦法把她留下。後來，阮娟對我說：我就不相信將來博士畢業，連個輔導員的工作都找不到。我為她的這句話所感動，也就同意她辭職專心讀書了。阮娟終於如期完成了博士論文，而且在答辯時獲得優秀的成績。命運真會作弄人，凡是熟悉阮娟的人沒人想到，她再次報考輔導員，居然落了榜！苦笑之餘，覺得不去也罷。不久，阮娟相繼被兩所大學錄用為教師，其中一所「二一一」大校招聘時開出的條件，要的是「二一一」或「九八五」校的博士，阮娟畢業的學校不是「二一一」、「九八五」，而居然被錄用了！借作序的機會，特拈出此事，無非是想說明：本來看似容易做到的事，有時辦起來並不容易，你得正視它；而看似困難的事，只要你有真本領，真本事，也未必不能辦到。一帆風順，固然是好的；但是人難免會碰到這樣或那樣的困難，甚至還會碰到挫折。我非常相信，阮娟會一直勇往直前的。

阮娟說，她從做論文開始，先後拜見過數位葉家人士，留下很好的印象。我沒有會過三山葉氏，因此作此序時少了點感性的認識。晚清民初，福州一地聚集不少名門旺族。在寫這篇序時，福建日報一位原駐台記者送來臺灣大學沈冬教授的一份小禮物——臺灣大學某研究所的一個小記事本子。小本子古典的雅質，又帶有一點現代的氣息。一九九九年，在福建泉州召開的一次學術會議上，沈教授隨同李亦園教授跨海而來，報告會，沈教授坐在我旁邊。沈教授在國外留過學，講一口流利的英語，談吐高雅，氣質不凡；穿著卻有點古典，還戴著一對耳墜子。沈教授是晚清船政大臣沈葆楨的後人，大家閨秀。沈冬教授回臺灣之後，為我複印了一大堆古籍文本。後來我還聽說，沈教授除了早先獲得的文學博士學位，又去讀了一個音樂學的博士——因為她喜歡。闊別十餘年，一面之交，沈冬教授千里送鵝毛，學者情誼之重如此。謝家弟子，衣冠磊落，名門大族的子弟有各自的名門的風範，百年來，三山葉氏子弟除了部分人仍然居住在福州，一部分則已經遷居北京、上海、廣東、港臺以至於國外，事業有成。我期盼著與葉家人士面晤，一睹名門之後的風采！

二〇一〇年十月十日

施志勝《翻轉中的金門》序

自二〇〇二年獲《金門日報》贈閱至今，已經有十個年頭了。閱讀這份《金門日報》，無形中成了生活中不可或缺的一項內容。我受聘東吳大學期間，贈閱的報紙寄往大陸，我只好三天兩頭跑到圖書館翻檢，感受感受來自故鄉的氣息。

上個世紀三十四年代的日報，大多辦有副刊。有的每天出刊，有的一週數

施志勝於二〇一三年冬至返回福建安溪老家祭祖晉博士匾照片

刊。因為出刊頻繁，週期短，很多作家文化人都喜歡在副刊上發表文章。副刊也有缺點，每期的字數有限，很難發表長篇文章，為了彌補這一缺陷，副刊也用連載的形式來吸引作者投稿，吸引更多的讀者。進入新世紀以來，有副刊的報紙日見其少，研究報刊史的專家可能已經關注到這一現象。我不研究報刊史，也不便去談論副刊有無之得失。

《金門日報》是一直堅持辦副刊的報紙之一。常常在副刊上發表文章的作者，年長日久，我也慢慢記住他們的名字。如經常在日報上連載長篇的陳長慶先生，我是先知大名，然後才拜識其人的。又如寫新詩又兼寫評論的蔡振念教授，我則只知其名，而未識其人。副刊闢有《浯江夜話》一個欄目，位置在副刊的最上邊，每天一篇，每文短則數百、千字，長不過兩千左右，文章內容廣泛，有時評、政論，有隨感、雜感，或者評文談藝，不拘一格，然而作者似乎是固定的，早先只有數位，後來擴充到十多位。每位作者一週一篇，或十天半個月一篇，作者出現的頻率很高，也就更容易被讀者記住。施志勝，便是這十多位作者中的一位。

記不清最初見到志勝是在何時何地了。和志勝來往比較經常是在二〇〇七年下半年，當時我正受聘於東吳大學。在同鄉會的飯局上，常常可會到志勝。有一次，志勝說，他想到我的名下讀博士。兩岸的學生，甚至國外的留學生，只要向我表達這個願望的，我都持歡迎的態度。和外籍學生不一樣，港澳臺的同學入學都必須參加大陸組織的考試。我招收台籍博士生，應當追溯到二〇〇一年，而志勝有意讀博之時，恰好沒有其他台籍學生掛在我的名下。我讓志勝向其他同學諮詢，志勝很快就辦理了各種手續，二〇〇八春夏間到廣州考試，秋，正式被錄取為福建師範大學文學院的博士生。當然，我也沒有忘提醒志勝：目前臺灣並不承認大陸學歷，再說敝校既不是「九八五」，也不是「二一一」。志勝說，我是認準老師來求學的，是不是「九八五」、「二一一」並不重要；目前承認不承認學歷，並不重要，將來總有一天會承認的。值得一提的是，當志勝成為博士生之時，她的女兒正在廈門大學外文系讀二年級。春秋兩季，志勝到福州就讀，恰好可以送閨女到廈門上學。我對說他：你真是一舉兩得啊！

志勝出生在金門，軍校卒業後長期供職軍中。最初的職位是輔導長（相當大陸的指導員），一直幹到資深上校（正師級）退伍。志勝背上行囊，行萬里路，跑了大半個中國。志勝一米八的個頭，挺拔，健碩，來師大聽課的日子，仍然不忘每天在大操場上跑個十圈八圈。志勝不僅頗具軍人氣質，幹練、果決、豪爽，而一旦卡拉OK起來，專注投入，歌喉、動作、神態俱佳，有時還讓人忍禁不俊。他做起事，卻一絲不苟，非常細心。二〇〇九年，二〇一〇年，我招收的博士生中，都有台籍的學生，志勝以老大哥兼班長的身份，對他們關心有加，生活方面不說，學業上，如聽課交作業、組織博士生科討會、作開題報告，他都一一過問。志勝和大陸同學相處也非常融洽，上下屆的同學，無論男生女生，他幾乎都能叫出他們的名字，大家也知道有一位來自臺灣叫施志勝的同學。如果大陸的同學需要臺灣的文獻資料，志勝也樂意幫助。今年是志勝讀博的第三年，前兩年他都受到海外教育學院的表彰。

去年的一天，我問志勝，「浯江夜話」你寫了多少篇了，他說加上為《金門日報》寫的社論，大概有二百多篇。我說，為何不挑選一些你比較滿意的文章結集出版？他說也是。今年三月，我到台授業。志勝說，書已經編好。不久，該書又獲得金門縣文化局的補助，出版前夕，志勝發來文稿並問序。我說，責無旁貸，樂意為之。

這本書的中心話題是金門。金門，民國四年建縣；建縣前，屬於同安縣。明清易代之際，東南抗清勢力以魯王朱以海為旗幟相號召，魯王駐地正是金門；鄭成功的抗清隊伍也以金門、廈門為踞地，金門作為戰地，名聞一時。一九四九年十月，兩岸對峙，金門縣在行政上屬臺灣地區管轄。金門離大陸最近點，退潮時只有一八〇〇M，因此金門也就成了兩岸最敏感的地區，在炮火紛飛的年代，金門首當其衝，既然是「反共前哨」，是「反攻大陸的跳板」，成千上萬的炮彈也就無情地飛到這個小島。金門這個小地方，成了舉世矚目的焦點。幾十年過去了，每次我回到金門，看到殘陽中的故壘，還不免泛起一種歷史蒼涼之感，對於長期生活在金門的民眾來說，他們的感受更是難於言喻的。我相信，志勝對金門的過去，也會有這種感受，但是志勝並不沉緬於過去，而是從過去「轉身」而面向未來。這是作為時評和政論作家的敏感所在。志勝對金門的現在，對金門的未來，有許多的思考。他的文章，幾乎涉及到金門社會的方方面面，大者如金門地位與兩岸的關係，「小三通」與大三通，金門廈門大橋的修建，局部的如金門的經濟、金門的旅遊觀光、金門的醫療、金門的航空港和碼頭的改善、金門的基礎建設，金門大學的招收陸生和大陸學籍的採認、甚至金門博彩業問題等等，處處都表現出作者對故鄉金門的熱愛和關心。這本書有些文章，有些論題也並不完全限於金門，也不限於時評和政論，而是指向文化的層面，例如談論中華文化、民間信仰，闡述漢民族的文字、閩南的方言等等，表現了作者比較深厚的學養和素養。志勝的這些文章，有的是寫在一兩年前，有的更早，志勝的設想，有的已經成了現實，有的雖然還沒有成為現實，但是正在規劃之中。志勝的真知灼見，很不簡單。還有某些部分，志勝的思考也許不錯，願望也很好，但是可能超越客觀現狀，一時難於實現，不妨聊備一說。

志勝是金門人，祖籍福建安溪，數十次往返於海峽東西岸。現在東西岸直航了，志勝還習慣於走他的「小三通」，習慣在金門自己的家多作點逗留。志勝深愛他出生與成長的金門，深愛他供職的東岸，也深愛祖上生息的西岸。志勝在這本書上，傾注了他很深的情感。志勝的書將在東岸出版了，我突然閃過一個念頭，志勝的書為何不也拿到西岸出版。但是仔細一想，還真的有點困難，作為時評和政論，語境不同，考量問題的出發點也可能存在差異。這不是志勝個人的問題，也不是志勝個人努力就可以做得到的事。我們只能期待未來，現在一時做不到的事，將來未必做不到；正如過去認為做不到的事，現在已經做到的那樣。我們不必去計較那一時半會兒的功夫。

前幾天志勝來電說，他去廈門大學參加女兒的畢業典禮。今天是六月二十日，正好是畢業典禮的日子。志勝的女兒可知道，他老爸的書已經脫稿排製完畢，等我這篇序到了就可以見書？

我們都為志勝出書高興吧！

二〇一一年六月二十日

王振漢《悠悠浯江水》序

金門素有「海濱鄒魯」之稱，意思是說，金門雖然在海濱，但是它文化昌盛的程度，幾乎和孔子的故鄉（魯）、孟子的故鄉（鄒）沒有太大的差別。不過，細細想來，這「海濱鄒魯」一名號的由來，卻不始於金門，而是起於廣東的潮州。當然，金門借用一下也無不可，何況金門人文之盛，的確足以當之。不過，近年來福建沿海各市縣幾乎都說他們也是「海濱鄒魯」，進而整個福建也都可以稱為「海濱鄒魯」，這是福建人的自信，作為金門人，我也為此感到高興。但是這樣一來，如果我在文章中再大講我們金門「海濱鄒魯」，恐怕容易讓他人產生誤解：「你們是『鄒魯』，難道我們就不是『鄒魯』嗎？」

因此，我在作這篇《序》時，還是不直接用「海濱鄒魯」一語為好。

我想說的是近十幾年來金門人的寫作。上個世紀九十年代末，葉宗禮從金門給我捎來他的老師洪春柳女士的一本《浯江詩話》。宗禮說，洪老師是金門高中的老師。高中老師出書，難能可貴。這是我的第一反應。後來，「兩門」開始對開，廈門、金門不過一個小時的水路，我去金門的次數多了，認識的鄉親也多了。除了洪春柳老師繼續贈書之外，中學老師送給我書的還有楊清國（校長）、吳鼎仁、王先進、洪明燦、葉鈞培、陳炳容等等。至於黃奕展，則是小學校長；黃振良，是不折不扣的小學老師。那麼，陳長慶是誰？陳長慶是長春書店的店主；陳延宗又是誰？陳延宗是退伍中校；陳秀竹又是誰？陳秀竹在學校當過教官，退役之後服務於金門國家公園；董群廉又是誰？董群廉是縣政府的公務員；蕭永奇又是誰？蕭永奇是電腦工程師；郭哲銘又是誰？郭哲銘是文化局的課長（課長在大陸的職級就是科員）……這一長串的名單，自然不包括在金門大學任教的江柏偉、唐惠韻、楊天厚博士，因為他們是大學老師，寫書出書理所當然；這個名單也不包括戶籍仍然在金門，而在台灣發展的一批文化人或准文化人，因為他們現在畢竟生活在「大地方」。據金門縣文化局局長李錫隆介紹，十來年間，金門文化局已經出版了近四百種的書。如果加上不是經由文化局出版的書，加起來不知有多少種？還有一件事情使我感動。去年十一月，我回鄉參加世界金門日，適逢舉辦「三個寫詩的人」新作發表會，一個自然村，同一時期出現三位詩人，每位詩人都出版過不止一部的詩集，真是匪夷所思！

金門戶籍人口數，這兩年剛剛突破十萬。太遙遠的不說，自上世紀五十年代以來，戶籍人口一直只有數萬人，最少時還不足五萬！如果以戶籍人口數比作家數，以戶籍人口數比出版的書籍數，作一個統計，按我的觀察，福建沿海諸市縣似乎難以與金門抗衡。如果就作者的身份職業作一個分析，金門作者身份的多樣，民眾參與的廣泛與熱情，恐怕也是獨一無二。

我不知道振漢此前是不是出版過書，如果沒有，隨著這本《悠悠浯江水》的出版，金門的作者又將增加一位。振漢是國中的老師，也是屬於我上文說的、並非身居大學或者學院的作者那一類。

《悠悠浯江水》是作者的一部詩文集。金門本島只有一百三十多平方公里，這樣一個蕞爾小島，自然容納不了大江大河，就是勉強稱為「江」的浯江，其實也就是一條小小的溪流。但是就在這條小小的溪流兩岸周邊，孕育了金門的林木花草生物，孕育了世世代代的金門子子孫孫。浯江水，長又長，從史前文化，到西晉士人南渡流播來到這個小島，到唐代牧馬侯陳淵率眾來此牧馬，到南明東南洲島軍民高舉義旗擁戴魯王朱以海在太武山下抗清……每一個金門人都愛浯江，每一個金門人都熱愛金門這片土地，振漢也不例外。振漢用他的觀察，用他的筆，帶著深切的情感去回顧金門的歷史，去找尋金門早年的記憶，去書寫他所知道的金門一件又一件的事情，去抒發他對金門一點一滴的真愛。浯江水，長悠悠，每一篇詩文都充滿了作者對故鄉的愛。他寫故鄉的花，從一月、二月，寫到十一月、十二月；從蝴蝶蘭、杏花，寫到水仙花。他喜歡磊磊砢砢的花岡岩，喜歡成片的紅樹林，喜歡成雙成對的珍稀的古生物鱟，他也喜歡故鄉的蕃薯。「好吃糖」的描繪，喚起每一個金門人兒時的記憶，讓你頰齒生香；「鹹粿炸」，俗雅共賞，或是充饑，或是品嚐，經振漢這一提醒，滿口「鹹香鹹香」，頓然口舌生津。

我在臺北華納威秀看了一場《星月無盡》的電影，這是一部描寫金門的影片，電影主人公之一是「文史工作者」，不知情者一定覺得很奇怪。我在金門和友人交換名片，常常會看到「文史工作者」或「文史工作室」這樣的字眼。毫不誇張地說，當你走在金門大街小巷，或者在餐廳用餐，一不小心你會碰上一位或者兩三位文史工作者、或者擁有自己文史工作室的鄉親。他們並非什麼大學者，但是他們肯定是金門某一文史問題的專家。一塊碑碣，他會為你詳細地細說它的由來；一種民間信仰，他會給你介紹它的背景和歷史；一把農具，一件戲服，一座古厝，一幢洋房，一座橋樑，他都可以給你講述其年代、質材，以及相關的故事；如果你有興趣，他還可以為你挑出一部族譜，為你解說一姓一族在金門的繁衍生息、變遷、聚散，甚至這一族一姓中名人的逸聞逸事。振漢對金門的文史，也相當的關注，如風獅爺、王爺信仰、東門代天府牌樓、後浦四月十二迓城隍等，都在他的寫作範圍之內。詩文集涉獵的廣泛，可以讓讀者增長不少見識。

集中有一篇是記述二〇一一年第五屆兩岸金門籍青少年夏令營活動的文章，這次夏令營由我所在的福建省金門同胞聯誼會主辦，漳州市金門同胞聯誼會協辦。省金聯和漳州市金聯都有相關的報導，但是都沒有振漢寫得這麼詳細。振漢可謂是有心人。看來，振漢不僅關心「文史」，對當前兩岸的往來也很關心。民國四年（一九一五）金門建縣之前，金門是同安的一個行政區；建縣之後，金門與廈門、同安仍然難分彼此，和閩南各地也難分彼此。陣陣槍炮聲滾過，瞬息間，金門便與廈門、同安及內陸隔絕，超過五十年的時間，多少人把眼望穿！所幸我們能生活在二十一世紀，廈門與金門的船隻又可以每天往來，兩岸金門籍青少年夏令營可以在內地和金門輪番舉辦，振漢也有了機會帶領學生來內地參加活動，也有了機會到大陸讀博士學位。我們完全有理由相信，在讀博士期間，振漢往來「兩門」比較頻繁，將來一定會有更多記敘或描述這方面的佳作問世。

振漢還找了部分自拍的照片作為插圖，我看是很有必要的。有些民俗的活動，即便作者筆底可以生花，仍然不能免於抽象。有些民間食品，僅僅靠文字的描述，恐怕也難有令讀者垂涎欲滴的效果。振漢給我影印件文稿的照片是黑白的，正式出版，如果是彩照或部分是彩照，或許更能收到圖文並茂的效果。

這部詩文集共收錄振漢的詩文三十來篇，這些詩文絕大多數都寫得相當不錯，不過，不必諱言，個別文章還需要作點潤飾，稍嫌冗長者，簡約之；過於簡略者，豐滿之。再者，兩岸往來已經非常頻繁，但是數十年的阻隔，遣詞用語、書寫行文的習慣仍然存在差異，在所難免，不必苛求。如果此書要讓內地的多數讀者也能接受，似乎個別篇目還需要略作調整；如果有些篇目僅僅是為了記錄歷史文獻，將來可以另編一部文獻性質的書，畢竟創作和文獻的保存是兩回事。

來中央大學已經四個月，半個月前，水彰說振漢有一部書讓我作序，前陣子的確太忙，有時南下台南或高雄，當夜還得趕回中壢，因此拖了些時間。期末將至，校內外的事慢慢少了，今天是中大校慶（在台復辦）五十周年紀念日，除了中午到大講堂前去感受一下氣氛，還是趕緊回到研究室來完成這篇小序。

期待《悠悠浯江水》早日出版！（本文為《松風書閣手記》之一篇）

二〇一二年六月二日於中央大學中文系A2－406

個人簡介：

王振漢，一九五六年生，福建省金門縣人。福建師範大學中國文學博士。目前擔任金門金城國中總務主任。曾榮獲金門地區第二屆文藝金像獎散文類銀像獎。在個人創作方面，已出版《金門萬縷情》、《東門是我家—閩南文化之美》、《悠悠浯江水》等書。

陳慶瀚《離散對話錄》序

中央大學的金門人，一位是中文系的李教授，早些年已經聽說過，去年我到中大演講，又不期而遇，這次來中大，又見過幾次面，李教授教的是戲曲，戲曲是中大的名專業之一。李教授住在臺北，見面的機會不是很多。還有一位是法文系的教授，法文系有兩位教師榮退，我即將離職，文學院院長衛友賢教授舉辦惜別茶會，席間聊天，原來法文系也有一位金門籍教授。中大另一位金門人則是同宗兄弟慶瀚。

來台不久，樹清兄早早就通知我，說作家洪玉芬作東，邀請朋友小聚，時間是二月十五日中午，地點在新店五小福。我和太太到場時，兩張桌子已經擠滿了人，有著名畫家李錫奇先生及夫人作家古月等，樹清兄還特別把陳慶瀚教授及夫人鄭曉雯介紹給我，說慶瀚是你的族兄弟，也在中央大學任教，以後你們可多多聯絡。午後，乘慶瀚的車回中大。途中，慶瀚贈送自行印製的新作《離散對話錄》。

慶瀚是陽翟陳，我是烈嶼湖下陳。陽翟陳是大宗，湖下陳可能是陽翟的分香。按照「志克卿子公侯伯仲延篤慶丕先德昭謨奕禩賢」輩份的排列，慶瀚是我的同宗兄弟。慶瀚在金門陽翟長大，而我卻生於大陸。初次見面，覺得很「臉熟」，因為慶瀚的臉龐長得和我在美國的四弟慶良有點像。慶瀚擁有兩個碩士學位和一個博士學位的頭銜：中央大學地球物理碩士和法蘭西——孔德大學資訊與自動化工程碩士（DEA）；隨後又獲法蘭西——孔德大學工程師科學博士，回台之後慶瀚進台灣大學全球研究中心，成了該中心的博士後研究員。在法國期間，慶瀚還修了兩年文學博士課程。慶瀚在中央大學創立機器智慧與自動化技術實驗室（MIAT），在中大資訊工程學系任教十多年。

錢鍾書先生談宋代的詩歌，以為有理學家中的詩人，又有詩人中的理學家，前者如朱熹，後者如劉子翬。現代社會分工越來越細，越來越專精，又寫詩又研究哲學的人恐怕已經很少見，更不用說頂著一個詩人的桂冠去從事空間技術。慶瀚從事自然科學研究，集工程

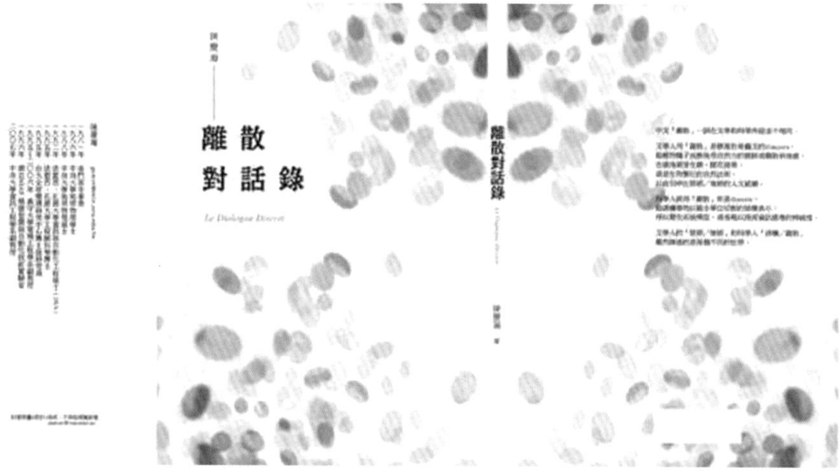

技術專家、詩人和作家於一身，在我的親朋中，也許僅慶瀚一位。

本文以《理性思考與溫情浪漫》為題寫讀慶瀚《離散對話錄》之感想，並非杜撰。「理性思考」與「溫情浪漫」似乎毫不相干，不僅毫不相干，而且是兩種不同的範式。思考，更多的是哲學家、或者是自然科學家的所為，至於品嚐葡萄酒，進而品味其美學，則更多地則具有詩人溫情浪漫的情調。然而，慶瀚的《離散對話錄》確實兼二者而有之。此集包括《系統思考》、《金門大歷史》、《機器人感覺詩》、《島嶼隨筆》、《葡萄酒美學》五輯。前兩集是「思考」，其思維更多的是科學家式的，冷靜而理智。最後一輯是「美學」，談的雖然是葡萄酒美學，其感悟卻是詩人的，法蘭西式的溫情、浪漫，三、四兩輯則或思考，或展露慶瀚的獨特的美學理念。

慶瀚的思考總是從「概念」入手，他說：

> 科學家的思考被侷限在有限的系統概念裡，在這個系統中思考，所有事戲都是明確可以理解的，所有推理步驟都可以掌握，據此產生的所有結果可以得到科學社群的認可，宇宙的生命的事實可以得到安置，所以科學是令人安心的。（《系統思考》）

這無疑是科學家的嚴謹。由於嚴謹，慶瀚對如何命名自己這部書的書名有所困惑，「離散」的概念是什麼？一般人會說，「離散」不過是「合」與「聚」的反義。慶瀚的定義卻稍稍有點複雜，既有文學人的離散，又有科學人離散。他說，文學人用「離散」是指植物種子成熟後受自然力的搬移或飄散到他處，萌根開花結果，因此「引申出原鄉/他鄉的人文感觸」；科學人的「離散」則是指「連續事物以最小單位切割的結構表示，得以簡化系統模型，或者籍以提高資訊處理的精確度」。所以他的「離散」，既是文學人的「原鄉/他鄉」，又是科學人的「連續/離散」。科學人的思考是嚴肅的、理論的，文學人的思考是感性的、敘事的。儘管文學人的思考帶有感悟的性質，但慶瀚始終沒有離開他所規範的概念——原鄉/他鄉。而所謂的「對話」，則是「原鄉與他鄉的對話；連續與他鄉的對話；文學的本我與科學的超我的對話」。慶瀚的這些文章，大多發表在《金門日報》副刊《浯江夜話》，為副刊帶來科學的新鮮氣息。其實，這些文章，和即將出版的這本書，讀者讀過之後，自然也會和慶瀚「對話」，例如一位讀者讀了慶瀚的《金門大歷史》和《金龜山》之後給作者寫信，但是更多的是對話只是心靈上的對話，而不是面對面或書信式的而已。如果有一群讀者能從心靈上同作者對話，那麼慶瀚的文章、慶瀚的書，就是成功的文章，成功的書。

記敘描寫金門原鄉的文章，大多側重於社會歷史、經濟、文化，乃至戰爭。慶瀚所寫的金門歷史，是金門的大歷史，史前，幾百萬年前，幾十萬年前，幾萬年前，幾千年前，直至一千五百年前始見於縣志。他似乎更加關心的是金門的環境、生態，關心岩石、砂礫、水、林木、氣候，還有星空。他的文章的筆調是文學的，然而思維卻是科學的、理智的。他說，如果地球氣候持續變暖，海水不斷上升，四百年後金門島的部分村莊將被海水淹沒。為了應對這種變化，金門應當建設一個生態島，儘管小小的金門，也許聲音很微弱，力量也許有限，但是金門人應當成為世界良善的公民（《當金門逐漸沉沒》）。金門的興建各種建築，也應當作如是的考量，損害和生態，生存環境惡化，「土地荒蕪，資源短缺，金門人只好不斷的外移」（《金龜山》），理智深邃的見解，不能不叫人佩服！

近三四十年來，隨著全球社會、經濟、科技文明的變化，傳統的系統思考陷入某種困境，慶瀚和許多科學家都在試圖尋找並建立更好的系統思考模型，期待在未來的歲月裡逐漸改變對世界的看法。《複雜思考與創造性思惟》一文，是《離散對話錄》中唯一一篇講教學的文章，然而這篇文章講的還是思考模型，作者的計劃是「引導學生去感知和認識複雜的系統現象，藉以發展學生多維度、多面向和動態變遷的概念架構」，「啟發學生從事創造性的複雜思考」。

科學家理性思考的文章，容易寫得平板，甚至枯燥。慶瀚的文章具有嚴密的邏輯思維無需贅言，使我振奮的是他的文章構思和文采。《金龜山》是我近年讀到最美的文章之一，作者先交待金龜山在金門的當地理位置，隨即遙想五十萬年前、數萬年前的自然形態，再轉入八千五百年前原住民的活動及三千年前人跡的絕滅，一千兩百年前牧馬侯來到金門的開發。而四百年前戰爭對金門自然環境的剝蝕，六十年前日本人對雲母礦的侵奪，金龜山千瘡百孔，幸而有近四十年來的植樹、保護，金龜山才慢慢有了一點生氣。行文至此，作者很自然地筆鋒一轉，說現在卻有人想在此地建造一處五倍於金龜山宏偉的建築。真是石坡天驚！經過數十萬年、數萬年、數千年、數百年、數十年的生態變遷鋪墊，宜建抑或不宜建，作者已經無需饒舌、無需花更多的筆墨去立論去反駁。作者深情地說：金門從來缺的都不是這樣一處建築，「金門缺少的是對環境、生態、歷史文化有機體有著同樣悲憫和關懷的普世大佛精神」，其實，何止是金門，當今世界，何處不是如此！讀慶瀚此文時，自然會聯想起唐代韓愈那篇著名的「諫迎表」，韓愈義正辭嚴，一千兩百年後仍然令人肅然起敬；慶瀚以他淵博的自然科學知識敘事說理，則讓人欽佩！

慶瀚的理性思考文章，有時也會帶點溫情，帶點浪漫的氣息。夏夜望星空，容易使人產生豐富的遐想。慶瀚大學讀的是地球物理，同時他又加入「天文社」，熱衷於星象的觀測，回到金門，也不忘去觀賞英仙座流星雨和哈雷慧星。他的觀星，是近乎專業的，而描繪觀星，又頗見其浪漫，「如果你願意走出戶外，去享受一場英仙座流星雨的饗宴，你可以找一個光害小的、開闊地或地勢較高的地點」，「如果你期待的是更豪華的視覺和心靈的流星雨饗宴，那麼你最好到金門島東部海岸」；「如果金門政府工程單位原可以在觀星之夜，九點開始關閉金門所有路燈和公共照明，讓卑微星光重新親近長久以來彼此逐漸疏離的人與自然的陌生關係」，「金門，也可以是一個環境關懷與浪漫之島」（《觀星》）。

《離散對話錄》最富有溫情浪漫情調的是《葡萄酒美學》這組文章。法蘭西是葡萄酒的故鄉，慶瀚留學法國，對法國的葡萄酒情有獨鍾。六年的法國生活，觀千劍而識器，聽千曲而後曉聲，經過無數次的體驗，慶瀚完全融入這個國家的葡萄酒文化。慶瀚對法國葡萄酒各種品牌、各種葡萄產地的氣候、土壤條件，以及葡萄的栽種、收獲，葡萄酒的釀造、收藏都瞭若指掌。他還是法國葡萄酒的品酒師和鑒定師。讓我吃驚的是，慶瀚還在大學裡開過一門葡萄酒品嚐美學的課程。對法國葡萄酒如此深入的瞭解和鍾愛，在金門人中也許沒有第二個人，在台灣以及大陸，能夠和他匹敵者恐怕也寥寥無幾。何況，即便對葡萄酒有深入瞭解和鍾愛者，也未必能用文字表達出內心的溫柔而浪漫的情懷，未必體味出葡萄酒的美學。慶瀚認為，我們的美學教育，有視覺美學，有聽覺美學，但是卻忽視嗅覺和味覺的教育。葡萄酒美學，是兼視覺、嗅覺和味覺而有之；同時，在品嚐過程，實際上也是一種心靈意義上的美學，慶瀚描繪葡萄酒品嚐的過程，可謂淋漓盡致。慶瀚在談到品嚐薄酒萊新酒時說：

> 薄酒萊的新鮮、熱情，正是年輕、不受拘束的感受。也許沒有深沉豐厚的口感，也缺少結構複雜的酒體，但品嚐薄酒萊總是帶來未經修飾的、輕快單純的樂趣。它提供一群熱鬧、喧囂的年輕學生聚會中對於酒精禁忌的小小淩越機會；它提供不成熟的、直覺的、允許犯錯的年輕歲月般的品酒體驗；更重要的，它提供一種想像的可能性，對於今年剛採收的葡萄，想像未來釀製熟成的葡萄酒的可能風味，也想像年輕心靈經過歲月鍛煉後，未來熟成的視野和豐盈的生命樣貌。

我們沒有品嚐薄酒萊的經歷和經驗，讀了這段文字，心卻不能不嚮往之，這就是好的文學作品的感染力。

集子裡還有一組詩，同樣具有理性思考與溫情浪漫的特質，由於篇幅的關係，不詳論，讀者可以自己體會。

二〇一二年八月二十一日

蔡彥峰《玄學與魏晉南朝詩學研究》序

一九九〇年代末，福建師範大學文學院中國古代文學學科開始招收博士生，也就在這個時期，文學院送去外校培養的博士生陸續回院工作；同時文學院也廣招人才，一批學有專長的優秀博士充實了教師隊伍，大大改善了教師隊伍的學歷、學位和學緣結構。二〇〇三年，我在一次青年教師的座談會上，說過這樣的話：近年畢業來文學院工作的博士，三五年內都可以發表若干篇論文，其中有一兩篇發表在權威或級別較高的刊物上，每位博士都可能出版一部專著，這是非常可喜的；就目前情況看，大家差別不是太大。但是，在第一個三五年之後，隨即而來的第二個三五年，大家能不能保持這樣的良好勢頭，就不好說了；到那個時候，可能差距就會拉開，成績突出的，還可能引起學界的矚目。

也就在說這些話的當年，我到廈門大學主持王玫教授的碩士生論文答辯，彥峰是參加答辯的碩士生之一。彥峰膚色白皙而不文弱，為人謙和，給我留下很深的印象，再過三年，即二〇〇六年，彥峰在北京大學獲博士學位，來福建師範大學求職。而這一年，文學院古代文

學學科的教師已經幾近飽和。彥峰師從錢志熙先生、葛曉音先生治六朝文學，葛先生和錢先生在六朝、唐代文學研究方面有很高的造詣，是海內外著名學者。北大中文系對博士生要求特別嚴，博士生三年能順利拿到學位的不是太多。彥峰以其勤奮和悟性，得到校內外專家的好評。錢先生還特地為彥峰的求職寫了推薦信。其實，三年前我對彥峰已經有所瞭解，正好文學院也缺少六朝文學的教師，很快就接納了彥峰。荒山覓寶，偶得一「璞」，已屬望外之喜了，何況錢先生送來的是琢磨過的「玉」！

一年後，即二〇〇七年，彥峰的《元嘉體詩學研究》一書在中國社會科學出版社出版，同年，彥峰申報副教授，次年被破格提撥。近十年來，無論是本校或外校畢業來文學院任教的非在職就讀的博士，兩年內獲破格晉升副教授的，彥峰是鳳毛麟角。

一本專著，若干篇論文，其中有一兩篇發表在權威或高級別刊物上，彥峰在一兩年內走完了他人起碼三年才走完的學術里程。擺在彥峰面前的是兩條路，一條是鬆口氣，歇歇腳；另一條是，不鬆勁、不歇腳，繼續前行。彥峰進入博士後流動站，研究更加深入系統了。他在《北京大學學報》等刊發表了一系列水準更高的論文，二〇一〇年完成博士後流動站研究報告《玄學與魏晉南朝詩學研究》，幾經修改，今年才交付人民文學出版社出版。從獲得博士學位至今，只有六年，彥峰的第二部專著就要出版了，而且兩部書都是在高規格的出版社出版的；發表的二十來篇論文，相當一部分登在CSSCI刊物上。比起同期畢業的古代文學博士，彥峰的成果無疑是出類拔萃的。

彥峰的《玄學與魏晉南朝詩學研究》完成之後，囑我作序。關於此書的創獲，錢先生的序已經多有介紹，不贅述。我想說的只是：目前，兩岸四地研究玄言詩的學者，或者注重於哲學思辨的思想史研究，或者注重於文學意象語言的詩學史研究，很少做到融會貫通的。從《玄學與魏晉南朝詩學研究》一書中，我們可以看出彥峰既具有較好的理論思辨能力，對玄學理論和詩歌理論都較熟悉，同時又有較強的文學作品的感悟能力，對詩歌的詮釋解讀很到位。這是一部融會玄學與六朝詩學的交叉學科研究著作。

目前，彥峰還承擔一個國家社會科學基金項

目「士僧交往與六朝文學藝術研究」（通常說來，申報一般項目要比申請青年項目困難，因為青年項目是為年輕的學者專設的，競爭沒有一般項目激烈。彥峰申請項目時僅三十出頭，申請青年項目也許更加「保險」），同時還和我一道承擔國家重大招標項目子項目「全南朝文」的編撰工作。彥峰的六朝文學研究的積累逐漸豐厚，並且正在形成自己的研究系列和研究特色，《玄學與魏晉南朝詩學研究》出版了，三五年後，我們一定可以看到他更加厚重的新成果。

在我為彥峰此書作序之時，也許他正背著球拍，和文學院古代文學學科的青年才俊前往羽毛球館途中。一周之內，彥峰總有一兩次出入羽毛球館，和球友對決，淋漓酣暢而後踏歌而返。彥峰熱愛自己的事業，也熱愛生活。我是他的證婚人，在婚禮上我讚美新郎新娘：男才女貌，女才郎貌；郎貌女才，女貌郎才。近乎繞口令，但是大家都聽得明白。在場的嘉賓，恐怕沒有人會覺得我的話過於溢美。如今，他們的兒子已經長到兩三歲了，在和彥峰通電話時，不時可以聽到學語聲，「小兒咿唔亦好聽」。彥峰每次出差都會給他的兒子帶小點心或小玩藝兒。我寫這些話，似乎已經超出序文的範圍了，我把彥峰學術之外的另外一面介紹給讀者，或許有助於圈外人對彥峰的瞭解——書齋之外，彥峰的生活原來也是豐富多姿的！

二〇一二年十一月二十一日午後四時許

楊玲《林譯小說及其影響研究》序

中國內地的博士生，經過三年至七年不等的學習和寫作，基本上都能完成一篇獲取博士學位的論文，獲得學位之後，多數人的論文也都有出版的機會。出版界的繁榮，和博士們的貢獻是分不開的。博士論文的出版，有的很快，我的一位博士，第二年就見書了，而且是在一家很專業的出版社出版的，二十六歲獲得學位，二十七歲論文出版，在我的學生中僅此一位。有的畢業後，歲月蹉跎，論文也就一直擱置一旁，我也不知道他們有何打算。楊玲畢業後留校從事其他專業的教學，原專業的研究受到影響，在我的不斷催促下，論文經過修改，終於拿出來出版了。

十年前，楊玲從江西來報考碩士，面試時方才知道她讀過英語和中文兩個本科學位。英語成績比起其他考生，分數高出許多，錄取自然沒有什麼大問題。碩士畢業，考取博士，英語成績當然也不在話下。那幾年，文學院辦了一個文秘專業，英語課都是請外語學院的老師來上課，每到期末，付給他們報酬，主事者不免心疼，於是便謀劃留一個既懂外文又已經被錄取為博士生的的碩士充實到文秘教研室，於是，楊玲便成以較為合適的人選留校了。

其實，楊玲興趣廣泛，她雖然讀的是中國古代文學的碩士，到畢業那會兒，我才發現她對文論、特別是西方文論和美學的興趣遠超過中國古代文學。她有志於讀文論和美學的博士，因而報考了一所頂尖的大學，選取了一位頂尖級的教授作導師，或許為了照顧我的一點面子，也兼報了我招收的專業。其實，我一向鼓勵碩士報考985、211校，一則這些學校環境好，老師水準也高；再則，有985、211大學的名號，終身受用。成績出來了，頂尖大學也上線了，可惜名次僅差了一位，所以又回到我這兒繼續讀博。

懂一門西文，對文論和美學有較好的修養，正是楊玲這部書稿的特點。

在和楊玲討論博士論文選題時，盡可能揚長避短。遵循中國古代文學傳統去找選題，進而完成論文，並非不可

能，但那樣做可能埋沒了楊玲的特長。討論再三，便選了林譯小說，並通過對林譯小說的全面考察，進一步研究林譯小說的影響。

或許有的研究林譯小說者會說，林紓不懂外文，能成為了不起的翻譯家，我不懂得外文，為什麼就不能成為研究林譯小說的專家？這個問題問得好，但我們可要反問他，我們現在所處的時代已經不是一百多年前的晚清社會，精通一門以至數門外文的大有人在，如果不怕貽笑大方之家，不妨試試。更為重要的是，林紓譯小說，有王壽昌這樣的高水準的合作者，你研究林譯小說有這樣的合作者嗎？正因為楊玲懂得一門西文，起碼，她能較為深入細緻地瞭解林譯之妙處和精到處，或許也能看出林紓在翻譯過程中的再創作。懂得至少一門西文，是研究林譯小說的必備條件之一；不懂得西文，研究林譯小說，不免有隔岸觀火、隔靴搔癢之嫌。

研究中國古代文學，固然也需要文論知識，也需要思辨能力。但是從事中國古代文學研究，就目前學界的整體水準而言，對西方文論不是特別瞭解，似乎也無關研究的宏旨；或者說，目前還很少見到得心應手運用西方文論研究中國古代文學的論著。但是研究林譯小說，僅憑藉中國古代文學的傳統研究方法，僅憑藉古代文論的常識，是不太行得通的。楊玲對文論、特別是西方文論和美學情有獨鐘。我和她討論學界人物，論到當今有建樹的文論家和美學家，她就兩眼發光，那種神往心馳的情態，在我的學生中獨有此君。她距考入985大學文論和美學博士專業僅一步之遙，雖然很可惜，很無奈，但是她的多年積累，在這部書稿中可以盡情發揮了。她的文字表達，也是屬於撰寫文論和美學論著的那一種。可以說，楊玲這部書的研究基礎和寫作風格，很適合她的研究對象。

楊玲問序於予，垂暮之年，文思枯竭，拖了好長的時間。在剛剛動手之際，我偶然讀到蔣凡老師發表在《文史知識》一篇討論林紓新體詩的文章。林紓的成績是多方面的，林譯小說是其代表，此外還有古文寫作和古文文論、詩歌、詞、小說。林紓出自謝章鋌的門下，不知研究詞學者注意到沒有，林紓對謝氏的《酒邊詞》似有微詞。林紓在大學還教過中國文學史，寫過講義，我在臺灣執教時讀過他的手稿，臺北大學的王國良教授還為我影印了其中的一部分。林紓是位大家，他的譯作、創作和學術著作，無疑是一處富礦。數年前，我的另一在出版社工作的學生江中柱，受出版社委託，讓我主持《林紓全集》的編纂，楊玲也參加了，或許我缺乏登高一呼的能力，或許受制於當下科研考核的機制，最後無疾而終，對中柱君和出版社都不好交代。我們寄希望於有力者，期待早日看到《全集》。《全集》的出版，肯定能進一步推動林紓的研究。

林紓是誰？林紓是近代的著名翻譯家、古文家、詩人和學者；穿越時間的隧道，林紓還是與我隔岸而居的鄰居——我的居所和林紓的蒼霞精舍遺址僅有一水之遙，片葦可渡。不過，當我漫步閩江湄涘，但見對岸高樓林立，所謂「遺址」，實際是只有一個大致方位而已。不知故老尚能指認之否？

二〇一三年十二月九日蒼霞精舍故址南岸

王晚霞《柳宗元研究》序

中國文學史，先秦的《詩經》、《楚辭》並稱，兩漢的《史記》、《漢書》並稱，唐代的李白、杜甫並稱，韓愈、柳宗元也並稱，都具有里程碑的意義。《詩經》、《楚辭》分別象徵著中國四言詩、楚騷體的文學體式的巔峰；《史記》、《漢書》代表傳記文學的顛峰；李、杜詩不僅是唐詩的代表，而且是中國古代詩歌的雙子星座；韓、柳文不僅是唐代古文的代表，而且是中國古

代散文並峙的雙峰。

說到柳宗元，人們自然會想起他的《江雪》，這首小詩連幼童都耳熟能詳。此詩在王兆鵬教授團隊的《唐詩排榜》中列第十七名，王教授的統計考慮了較多的學術因素，如果從「家喻戶曉」、「婦孺皆知」的大眾角度來審視，也許這首詩的名次還會靠前。柳宗元的另一首《登柳州城樓》則排在第六名，名次非常前面了。學術界至今還沒有《唐宋古文排行榜》，如果有人做這種排行，相信柳宗元古文的成績一定會比詩歌好。他的《小石潭記》，凡是摸過初中課本的讀者，能記誦者一定不少，如果有一個排行榜，此篇排在前幾名是沒有問題的；此外，能進入百名的，肯定還會有幾篇。

無論是從文學史的角度，還是大眾認知的角度來審視，柳宗元都是中國古代一位十分重要的詩人、作家。而這位詩人、作家，他只活了四十七歲，這樣的年壽，在今天看來，去世得太早了；即便在唐代，比起李白（六十二歲）、杜甫（五十七歲）、韓愈（五十七歲），也是壽短了。值得注意的是，在柳宗元四十七年的生命中，卻有十年是在永州渡過的！柳宗元十七歲成進士，如果從成進士步入社會、參與社會活動算起，到他去世，前後總共只有三十一年的時間，就是說，柳宗元步入社會、參與社會活動，有三分之一的生命是在永州度過的。永州這個地方，對柳宗元的一生來說，太重要了！

柳宗元被召回京，到達長安附近的灞亭賦詩云：「十一年前南渡客，四千里外北歸人。」（《詔追赴都二月至灞亭上》，《柳河東集》卷四十二）永州遠在京城四千里之外，據統計，十一年間，柳宗元在永州寫下包括《永州八記》在內的六百來篇的詩文，約占其全部作品的三分之二（參見周欣《精心打造特色欄目　全面展現地方文化》，《湖南科技學院學報》二〇一三年第十期）。對詩人和作家柳宗元來說，永州這個地方，是多麼的重要啊，如果沒有永州，柳宗元的創作也許要平淡甚至遜色幾分！而對於有兩千一百多年歷史的古城永州來說，柳宗元也太重要了，如果沒有柳宗元永貞革新失敗被貶南來，沒有他的《永州八記》等作品，今天的永州也不會有如此引人注目的文學光芒！

《湖南科技學院學報》從一九八〇年創刊以來，一直把刊發研究柳宗元的論文當作辦刊的宗旨之一。僅二〇〇六年至二〇一四年間，就發表了研究柳宗元的論文一百二十二篇。不到十年，發表百餘篇研究柳宗元的論文，在中國數百種學報中恐怕沒有第二家。一個學者，研究方向一旦定下來之後，不要輕易改動，持之有恆，堅持數十年，必有收穫；一份學術期刊，一旦辦刊宗旨確定下來，認定刊發論文的主要方向（或設置專欄），不去隨意改變它，堅持二三十年，必定形成自己辦刊的特色。《湖南科技學院學報》堅持辦「柳宗元研究」專欄，特色十分鮮明。大凡研究柳宗元者、甚至研究唐代文學者，誰不知道有《湖南科技學院學報》這份刊物，誰不知道這份刊物有這樣一個專欄！可見這份刊物，這個專欄已經產生了它的影響力。

這份刊物發表的這些論文，既研究了柳宗元的生平、思想和詩文，又研究了柳宗元在永州的活動，以及柳宗元作品的傳播、接受和影響，研究面相當廣，有不少新看法、新見解，論文風格多種多樣，可謂是柳宗元研究的功臣！近期，該刊編輯部王晚霞博士花了不少力氣，從中選四十多篇，編就《柳宗元研究》一書。該書細分為五個部分「柳宗元詩文研究」、「柳宗元思想生平研究」、「柳宗元與永州」、「柳宗元與佛禪」和「柳學的傳承與影響」，精益求精，更上層樓，研究專書與刊物的專欄相得益彰，擴大了研究的影響，這種辦法很好。無疑，此書的出版還將進一步推動柳宗元的研究，也將進一步推動永州歷史文化的研究。

即便柳宗元的研究已經取得不小的成績，但是柳宗元的研究還有許多空間值得我們去探究。舉例說，柳宗元和永州結下不解之緣之外，他在永州還做過哪些事，和哪些人有過交往，有沒有新材料可以挖掘？再如，古人講山水遊記，太上《水經注》，其次柳宗元。《水經注》山水遊記，除了青州等少數片段，幾乎是純客觀的描寫，這是一種寫法；大家知道，柳宗元的遊記，則注入強烈的情感色彩。如果聯繫近世遊記的寫作，似乎學柳者多，而習《水經注》者少。是《水經注》難學，還是柳宗元的遊記更符合近世社會的思想方式？再如，近代同光體詩人提倡學宋，說必須過「三元」（開元、元和、元祐），其中一些人詩學柳宗元。鄭孝胥早年治謝靈運，後轉而浸淫柳宗元（詳陳衍《海藏樓詩集序》），便是一例。同光派詩人既提倡學宋，有人同時學柳，學柳是如何學的？表現在什麼地方？再如，有關柳宗元的研究著作，如林紓先生著有《韓柳文研究法》、章士釗先生著有《柳文指要》、陳祥耀先生著有《唐宋八大家文說》（論韓柳約占三分之一篇幅），都是用文言文寫就的、有獨到見解的論柳重要著作，這些著作似也應當加以研究。

我們期待《湖南科技學院學報》「柳宗元研究」專欄越辦越好，有更多更好的研究柳宗元的論文展現在讀者的面前，也期待該刊編輯部陸續編就《柳宗元研究》第二輯、第三輯，以至第N輯。

二〇一四年五月二十三日於福州

郗文倩《古代禮俗中的文體與文學》序

三、四月之後，工作緊張甚至有點忙亂：項目或後期資助項目評審，結項成果鑒定，審稿或閱稿，看一大堆的學位論文，此外，還有自己書稿清樣的校對等等。自己的書稿，反覆校讀，已經失去當初寫作時的新鮮感；至於看成果、看論文之類，或由於趕任務，或由於論著了無新意可言，審美嚴重疲勞。頭腦昏昏、雙眼瞶瞶之際，郗文倩教授送來她的新著《古代禮俗中的文體與文學》一書的列印稿，好似悶熱的夏天突然送來爽氣，耳目也自然為之一新。

四言詩、騷體詩、五言詩、新體詩、格律詩，詩體如何產生又如何演變？荀卿賦、漢大賦、東漢末年抒情小賦、南北朝駢賦、唐律賦、宋文賦，賦體如何產生又如何演變？秦漢古小說、魏晉南北朝志人和志怪小說、唐傳奇，宋元話本、明清章回小說，小說如何產生又如何演變……各種文體最基本的特徵如何，隨著時代的變遷，某種文體又有哪些變化？文體研究由來已久。近二三十年來，文體的研究越來越受學界的重視，好像不止一所大學成立了文體研究中心；有教授還讓碩士生每人做《文選》一種體，集腋成裘，蔚然大觀。「詩者，持也，持人情性」；「賦者，鋪也，鋪采摛文，體物寫志也」。文體研究，不僅有文學層面的，劉勰《文心雕龍》已經開啟文字學層面的文體研究，今天從這個層面來研究文體，亦大有人在。文倩的文體研究，則是從禮俗的視角對早期文體的發生發展進行討論，換句話說，她研究的就是「禮俗文體」。「禮俗文體」這一概念的提出，或是文倩的首創。

曹丕「四科」、陸機「十體」、《文選》三十九類（詩又分為若干小類）、《文苑英華》單單賦就分成四十多種，文體越分越細，但是不管怎麼分，分得如何細，還是很難把禮俗的或應用型的文體「一網打盡」，按照文倩的說法，文體是「活體」，隨著時代變遷，不斷有新文體產生，或者舊文體不斷得到改造。陳寅恪先生《金明稿叢書二稿》中有兩篇馮友蘭《中國哲學史》的《審查報告》，向「清華叢書」推薦馮氏的著作。「審查報告」，舊文體中似沒有與之相對應的文體，是一種新文體。今天我們為出版社寫的著作審稿意見書，與陳先生的《審查報告》相類似，推而廣之，項目的結項鑑定，職稱評定（升等）評語，不也

郗文倩與家人

是「審查報告」這種文體的旁衍?只不過這些鑒定、評語，既缺少陳先生的學術眼光，又無陳先生的文筆，浩如煙海的鑒定、評語，有幾篇可以傳世?晚清民初，東南沿海下南洋的民眾漸多，他們從南洋匯款回鄉，匯票往往有附言，史學界稱之為「僑批」，僑批，雖可以歸類於書信，但又與一般的書信不同，有它的特殊性，有的是用文言文寫的，帶有較濃厚的文學色彩，這是從舊文體（書信）改造而成的一種新文體（僑批）。

曹丕的時代，「成相」這種文體已經不太有人寫作了。但是「成相體」確實活躍過很長的時間。以往文學史著作提到這種文體，往往只說它是巷陌謳謠唱，與詩賦都有關聯，研究者寥寥可數。本書第一章，作者對這種文體作了迄今為止最詳盡的論述，認為這種文體源於舂米、擣衣、打夯，有明顯的節拍，後來則輔以相、築、琴等簡便的樂器之類；它是一種以三、四言為主的詩體，與楚辭、七言詩有著密切的關係。漢代的某些以三四句式為主的韻文，如俗語、謠諺、銘文、石畫像旁題，多與「成相體」相關聯；成相體在秦漢是一種活潑而有生命力的韻文文體。如果說，對成相體的研究，本書作者較多地關注音樂與禮俗文體的關係的話，那麼，研究「贊體」，作者便把目光更多地投注到美術與雕刻的領域了。贊體，大多論者以為是一種褒揚或頌美的文體，贊體與頌體即使不能等同，也很接近。本書第五章認為，贊體，有畫像贊、人物贊、史贊之區分，而畫像贊應當是贊體的原初形式。作者仔細觀察分析大量漢畫像，認為畫像的文字可分為兩類，一類題寫畫面的人物姓名、車馬器物名稱，另一類為四言韻語，介紹畫面的人物及其故事，後一類當即蕭統《文選序》所說的「圖像」「贊」。讚語雖然偶有評價，但其主要功用則在於對畫像故事的說明、描述，起到了輔助作用。《文心雕龍．頌贊篇》：「贊者，明也，助也。」畫像贊的功用、特徵，是「明」與「助」，原初贊體並沒有頌揚褒美的意思。至於史贊、婚物贊或後世書籍的插圖贊，均不失漢畫像「明」、「助」的本意。作者得出的結論是完全可以站得住腳的。明代別集中有大量的「畫像贊」，畫像贊中有一類是畫像「自贊」，顯然，自贊不是自我褒揚讚美，以期自我陶醉；至於他人的像贊，大多亦無有諛美之詞，還常常語帶詼諧，甚至揶揄，補充說明像主的體貌特徵，特別是繪畫這種藝術門類不太能表現的人物的性格、嗜好，乃至家世、經歷等等，這種贊體，仍然不離原初贊體「明」或「助」的本質。

中國是一個重禮俗的國家，生老病死，人際往來，起居出行，不是離不開「禮」，就是脫不了「俗」。禮和俗，都是一種約定。社會生活繁複，五花八門，不同的場合，不同的景況，都可能有各種不同的禮俗約定，因此日積月累形成禮俗文體，也是繁複多樣、五花八門的，有的禮俗文體，已經引起文體研究者的注意，《文選》和《文苑英華》中的文體，自不必說，近年，還有學者研究了諸如上樑文、撒帳文、簽詩之類的禮俗文體。而有些文體，似未有文體學者進行研究，如醫案文、如僑批文等等。《禮俗中的文體與文學》一書，成相、祖餞、隱、贊，文倩都是在前人研究的基礎上進一步深化，或提出新鮮的見解（如成相、贊），或拓展研究的空間（如祖餞、隱），而從禮俗的視野對諸如罪己詔、婚禮禮辭、名謁文、剛卯銘文、鎮墓文、告地書等文體進行探討和研究，文倩似是第一人。文倩對禮俗文體的研究，開拓之功是顯而易見的。

文倩禮俗文體的研究，對上述所說的諸種文體的研究，都做得很深入，有根有據，但是她的研究，也並非就事論事，並非就一種文體論一種文體而已。通讀這部著作，似可以發現，文倩正在細心地，然而又是認真地闡發她的禮俗文體學理論，除了第一章《古代禮俗文體的特性及其研究方法》外，幾乎每一章都涉及到禮俗文體學的理論問題。例如第五章《漢代圖畫人物風尚與贊體的生成流變》，她說，漢代是文體的生發期，大量文體都是應用文，與禮俗有著密切的關係，「忽視這一點而單從文字文體入手就很難抓住文體的本質，相關文體的辨析也會出現混亂」；文體在發展演變過程中，功能也在發生變化，呈現動態的複雜情形，「在『文體學』的核心對象——文本的左右，有太多的因素需要納入到文體研究當中」。也就是說，研究文體，僅僅侷限文字、文本還是很不夠的，還得在文體的功能方面多下點功夫，才能更準確地「揭示古代文體的歷史面貌」。

第四章《張衡〈西京賦〉「魚龍蔓延」發覆——兼論佛教幻術的東傳及其藝術表現》，曾以單篇論文的形式發表在《文學遺產》上。研究漢大賦的發展，通常會引用張衡《西京賦》角觝百戲、幻術表演「魚龍蔓延」的一段話，說明東漢張衡的大賦比早期班固《兩都賦》寫得更加生動明快，有更多的想像誇飾之辭，就文學史著作的闡述而言，當然是對的。《西京賦》還有什麼需要研究的？或者更具體地說，角觝百戲、幻術表演有沒有值得深入研究的，內行看門道，作者從《西京賦》發現了一個重要問題，即「魚龍蔓延」的藝術表演與早期佛教東傳的關係。作者從諸多的文獻中找出「魚龍蔓延」與佛教的降魔故事之間的關係，又從壁畫找到充分的資料加以印證，認為「魚龍蔓延」幻術表演吸納了佛教降魔故事中的文化因素。學界通常認為，佛教傳到中土最直接的也是重要的途徑，一是佛經，二是佛像

（故佛教也稱像教），而本書作者進一步提出：「魚龍蔓延」幻術藝術表演也是佛教傳入中土重要途徑之一，由於這種表演具有較高的觀賞性和普及的意義，受到耳濡目染的民眾必然也可能更多、更廣泛。考慮到魚龍蔓延、幻術和佛教的關係，作者推論「西元前二世紀，佛教就以一種粗淺的方式進入了中國」。這個結論比通常所說的西漢元壽元年（前二年）要早上一百多年。

本書十二章，絕大多數都在期刊發表過。我本人評價一部書，標準之一，就是看看這部書有多少內容可以用單篇論文的形式發表。書中各章，題目不一定都屬於宏闊的、把握全域的那種，然而大多都很具體，一章提出一個問題，進行分析，引證，論述，最後解決問題，給出令人信服或比較信服的結論。

新觀點的提出，令人信服或比較信服結論的得出，常常賴於有力的文獻資料的支撐。本書在文獻資料的挖掘使用方面也有獨到之處。就學術門類而言，有經學的、歷史的、文學的、文字學的、宗教學的和藝術學方面的文獻，其中一些資料為僻見文獻，有的系作者首次徵引。現在有些論著，擬一個大題目，抄摘若干常見資料，堆砌一些好聽的詞藻，發揮一堆空話。本書與這種論著，真謂是涇渭分明。

文倩說，做研究工作，有時是很快樂的，尤其在對一大堆資料排比分析、並得出符合邏輯的結論之時。提出問題、分析問題、解決問題，這是論著寫作的基本過程。文倩享受了解決問題的快樂。在我看來，享受解決問題的快樂，研究工作已經達到一種更高的境界。這種快樂，也源於對研究工作和自己所從事的事業的熱愛。

郗文倩師從王長華教授和詹福瑞教授，在河北大學獲博士學位，七年前和夫君郭洪雷南來福建師範大學任教，隨後進了博士後流動站，我是她的合作教授。文倩專攻兩漢文學，說來很巧，先後在流動站出站的徐華、胡旭，他們博士期間從事的研究都是兩漢。許多學者誤以為兩漢文學文獻深入研究似乎已經很困難，徐華和胡旭成績先不說，文倩成功地開闢了禮俗文體學研究的一片天地，讀者如果翻閱一下此書，或許能給你增添較大的信心。

三年前，胡旭一部著作出版之前讓我作序，被我一拖再拖錯過了，至今仍感歉意。文倩之請，我也耽擱了一段時間。去年，當我完成一部書稿的最後一個字，立秋後的第一場雨帶了清涼，此序作畢，也是一陣清涼。

二〇一四年八月九日

福建師大文學院《藤山述林》序

中文系的本科生，全部從旗山遷回倉山老校區了。當初遷往新校區，捨不得老校區；現在對新校區卻又有些留戀了。福州素有「左旗右鼓」之稱，鼓，即鼓山；旗，就是旗山，旗山在烏龍江南岸。如果不是太趕時間，上課前早個二十來分鐘到達新校區，恰好碰上空山雨後，青山如洗，白雲繞舞，「逶迤飛動，如旗之風靡」，此即旗山也！一時神情大為清爽。就人文言之，溪源江水緊切校園而過，沿溪上溯，有溪源宮。烏龍江岸，有舊侯官市，「廟踞黿鼉石，神依土木叢」；「日瀉帆光澹，江澄塔影寒」，遺跡猶然可尋。明朝林春澤，居旗山北嶼，歷成、

弘、正、嘉、隆、萬六朝，正德進士，活了一百又四歲，有集曰《人瑞集》，子嗣後人，多有文名且長壽，至今林氏舊街尚存。

老校區，又稱倉山校區。倉山，即藤山，古名瓜藤山，後販鹽者割為私倉，遂稱倉山，其名遂沿用至今。藤山，在閩江南岸，西起上渡，東至中洲，連綿五里，以其地多種瓜，瓜有藤，故名。藤山北嶺，舊有天寧寺，南宋李綱謫居於寺之松風堂。明代藤山人周仕堦，嘉靖舉人，仰慕李綱為人，自號天寧居士，其詩集名《周天寧先生詩選》。其子之夔，崇禎進士，有《棄草集》，重修松風堂。藤山北望，一水之遙，有晚清林紓的蒼霞精舍。藤山南麓，舊時歲杪，郡人載酒來遊，人稱梅塢。明徐𤊹有「藤山梅萬樹，冬盡一齊開」：「十里花為市，千家玉作林」之句。福州開埠之後，梅塢徒存其名，代之而起的是教堂錯繡；「千門萬戶，抗雲蔽日，塔如、廚如、青白繚錯而下」，領事館比肩而立。民初，原國民政府前主席林森先生曾就讀於英華學校，風風雨雨，如今修繕一新的林公館，青磚瓦舍，掩映於高樓之中，也是藤山的一道風景。

予生也晚，不及親歷上世紀五十年代的院校調整，自然也沒有見到福建師範學院在藤山山麓掛牌的盛況。青磚學生宿舍，地板嘎吱作響的筒子樓，通往音樂系的小木屋，遺世獨立似的教工之家，短道游泳池，已經無處尋覓。畢業N十年的校友回到母校，他們總是千方百計想在校園中尋找過去的那些記憶，你可以指著兩座八層樓高的研究生宿舍對他說，這個地方就是你住過去住的青磚樓，還是叫十四、十五號樓，記憶與現實，兩者之間還有著些許的聯繫；但是，當有你興沖沖去尋找短道泳池，路徑找不到了，即使有識途的老馬領著你去指認，面對建築群，你只能茫茫然不知說啥是好了。

建築傳統可能有中斷，但這對一所學校似乎關系不是特別大。況且，老校區的標誌性建築，如老華南建築群還在，如老音樂系建築群還在。比起建築，一所大學、一個院系，文化學術傳統的承傳要重要得多了。福建師範大學文學院，近期集中推出三套叢書，其中兩套分別以兩位學科奠基人、也是建國以來的第一、第二任系主任黃壽祺先生、俞元桂先生的齋名——六庵、桂堂命名，用意瞭然；另一套取名「藤山」，似也有看重文化積澱、學術承傳之意。

黃壽祺先生、俞元桂先生的道德文章，其他兩套書的序言都有精闢的介紹，茲不贅。說起老中文系的舊事，我曾經在《聽彭一萬講五十年前事》略有述及，彭先生知道得比我多，體會也比我深刻。我這裏要補充的是一件舊事，一件近事。

十五年前，我編光澤高澍然《抑快軒文集》，偶然接觸到黃曾樾教授（一八九八—一九六六）的生平著述。上世紀二十年代，黃先生在福州文儒坊拜石遺老人為師，治詩古文，石遺老人每有講授，黃先生退而錄之，結為《談藝錄》一書出版，至一九三七年，中華書局已經印了三版。石遺老人論閩古文家，首推朱仕琇，高澍然次之。朱氏有《梅崖居士文集》傳世，而高氏古文尚無刻本。黃先生不忘師訓，十多年間，不斷搜集高澍然古文一百六十多篇。黃先生在法國里昂大學獲得哲學博士學位回國，一九四三年，福建省政府遷至永安，黃先生供職驛政，也到了永安。日機空襲山城，「每遇警報，挾冊而行」，就是說，每當空襲，黃先生隨身帶的就是他搜集到的高氏之文。黃先生還是不放心，空襲死於非命，生命不足為惜，「文物保持尤不易」，文稿燬於一旦，無可挽回，黃先生遂於一九四四年將高氏古文編成《抑快軒文集》上下二卷，自費在永安印行。

一件近事，即福建文史館館長盧美松先生同時饋贈兩部文集。一部是包樹棠先生的《汀州藝文志》（方志出版社，二〇一〇年十一月），另一部是鄭寶謙先生的《福建省舊方志綜錄》（福建人民出版社，二〇一〇年十一月）。兩位先生都曾任教於福建師範大學或它的前身福建師範學院中文系。兩書都有盧館長作的《序》。

包樹棠（一九〇〇—一九八一），福建上杭人。著《汀州藝文志》，六十萬字，為研究汀州文化、藝文不可或缺的著作。包先生早年畢業於廈門大學國文系代辦之集美國學專門學校，建國之後為福建師範大學中文系教授，直至退休。《汀州藝文志》動手於一九二五年，完成於一九三〇年，為其少作，除了《自序》一文發表在一九三〇年《廈大週刊》上，全書生前未曾刊佈。

鄭寶謙（一九三八—二〇一四），福建福州人。鄭先生先就讀於廈門大學化學系，後畢業於外文系，先後任教於福建農學院、華僑大學，一九七三年之後到福建師範大學任教，大家通常只知道鄭先生曾任教於歷史系，據《福建省舊方志綜錄》作者介紹，先生還曾在中文系任過教，看到這一介紹，讓人汗顏，我們對中文系的歷史瞭解實在太少。《福建省舊方志綜錄》煌煌一百四十萬字，其學術價值，金雲銘、黃壽祺、熊德基諸前輩言之詳矣。《福建省舊方志綜錄》出版不到四年，鄭先生今夏在孤獨中之中溘然長逝，不覺為之唏噓。

這兩件舊事、近事，都和中文系的學術傳統有關。黃曾樾先生獲得洋博士學位之後，仍然不忘師訓，一直念叨著他的老師，繼續搜集研究高澍然的古文，難能可貴。老師所說的話，不一定都對，學生固然也可以另辟蹊徑，但是老師有益的教晦，學生可能會受用一輩子，我自己便很有體會。包樹棠教授，畢業於「國專」，在強調學歷學位的今天，「國專」，算什麼?身份其實不一定那麼重要，《汀州藝文志》一九三〇年完成，二〇一〇年出版，書稿完成時包先生還是一位年輕學人。時光已經走過了八十年，此時距離包先生謝世也已經三十年！一部浮浮躁躁而產生的所謂著作，有如此強大的生命力嗎?鄭先生的生活是孤獨的，學術也是孤獨的，《福建省舊方志綜錄》的作者介紹，沒有職稱，似有為智者「藏拙」之嫌，其實公開介紹鄭先生是副教授，又有何妨？一位副教授，用二三十年的時間，寫出可以傳諸於後人的著作，我們這些有幸添列教授行列的教師，難道不應該更加努力，在學術上更高地要求自己，免得後人指指戳戳嗎?

收入本套叢書的作者有：黃黎星、余岱宗、陳衛、呂若涵、郭洪雷、郗文倩、蔡春華、劉海燕等，他們的年齡都在四十邊到五十之間，都具有博士學位、高職稱。本書的作者都是我的朋友，當我一一寫出他們的名字時，他們的音容像貌都躍然於我的眼前。比起剛畢業不久的博士，他們的學術已經成熟，有比較豐富的積累；比起六十邊上或更老的「老教師」，他們則更有活力和創造力，思維敏捷，出手快。他們是文學院各學科的中堅，承上啟下；文學院的將來，首先靠的也是他們。文學院一下推出三套叢書，可能是出於作者歸類的方便。何況，我上文說過，教授的論著，不一定就一定比副教授高明。收入這套叢書的著作，我雖然未必一一讀過，但可以肯定，大家都是非常優秀的。就我個人而言，我的論文和著作，也未必有他們的好。隨手舉一個手頭的例子，郗文倩著作中「魚龍曼戲」的那一章，張衡的《西京賦》我讀得很早，我會聯想到北朝《洛陽伽藍記》中的吞刀吐火，也會聯想到佛教東傳，但是像她那樣精彩的論述，得出很有新意的結論，我可能就寫不出來。我是既強調遵從師訓、學術承傳，但我也相信，中青年學人，一定會作得比前人甚至比老師更好，這樣，學術才會進步。

本叢書的作者，都已經不是只出過第一本書的「新人」了，收入這套叢書的著作可能是他們的第二本、第三甚至第四本了，長足的進步，說明文學院很有希望。二〇一二年，中國內地出版的新書達四十萬種之多，二〇一三年差不多是四十四萬種，在出版如此繁榮的狀況下，一本新書要超凡出眾並不是一件很容易的事。包樹棠先生的《汀州藝文志》、鄭寶謙先生的《福建省舊方志綜錄》都是足於傳世的著作，本叢書的作者（當然還有我自己）都得嚴肅面對這樣一個問題，我們什麼時候可以寫出一部足以傳世的著作？包先生的《汀州藝文志》是在完成八十年之後才出版的，八十年之後，後人是否還記得我們這部書？後人讀我們這部書時，能不能有猶如《汀州藝文志》那樣的肯定，或者有更高的評價？如果這套叢書有若干種可以傳世，那麼我的序也可附驥而不朽，甚幸！

漢代，藤山草萊未辟，直到晚唐此地方有居民。如今閭閻撲地，歌吹沸天，已為福州一大奧區。文學院將本叢書名為《藤山述林》，如前所述，取名很有文化意蘊。文學院本科生都從旗山遷回來了，假如本科生不回遷，卻把研究生也遷過去，叢書該叫什麼名字？如果讓我說，我就說「旗山述林」吧！誰又能保證，文學院不會再有遷往旗山的那一天？其實，旗山也很不錯，那裏空氣好，山青水綠的。

二〇一四年八月二十四日

陳未鵬《宋詞與地域文化》序

在號稱「八閩」的福建，「八閩」之一的莆田很有特點。唐五代之前，現在的福建只有「七閩」，北宋建立興化軍，始有「八閩」之說。宋稱興化軍，元改興化路，明清一直叫莆田府，與其他各府平起平坐，其轄區，基本上就是莆田、仙遊兩縣，大約就是現在莆田市的範圍。民初至一九四九年之後的一段時間，莆田、仙遊兩縣的行政歸屬，變化多端，最強盛時稱莆田地區，治所在莆田縣，把閩清、永泰、福清、長樂、平潭諸縣都劃過來；最可憐的時候，「府」一級的行政單位——專區被撤銷，莆田、仙遊兩縣歸到泉州地區去了。轉來轉去，過了幾十年，上世紀八十年代，莆田、仙遊又回到宋元明清的基本建置，即在兩縣的基礎上建立莆田市。今天的莆田市雖然下屬的「縣級」單位多了，但仍然不出莆、仙兩舊縣的區域。

行政區的劃分，固然有自然地理的因素，如以山、河為界，但是文化地理的因素也很重要。宋代莆仙有三絕：子魚、西施舌、十八娘。子魚，產於江口，又稱「通應子魚」或「通印子魚」，其肉細嫩；西施舌，產於近海的一種蚌類，其肉細滑；十八娘子，荔枝品種之一。宋代文人對此三絕津津樂道，詩文別集和筆記都有載述，莆人也引以為豪。明朝詩壇領袖之一王世貞贈莆田詩人佘翔詩云：「十八娘紅產荔枝，蠣房舌嫩比西施。更教何物稱三絕，為有佘郎七字詩。」王世貞把佘翔詩與十八娘、西施舌並稱為「三絕」，是對佘翔七絕的贊賞。王士貞以佘翔易子魚，似乎子魚已不再聞名了吧？不是，王世貞為了運用莆田「三絕」之典以贊佘翔，只好三者棄去一。晚清，莆田詩人宋廷尊《通印港》詩云：「且賞故鄉風味好，荻花秋雨子魚肥。」「子魚」並沒有消失。子魚、西施舌、十八娘，是該地物產，連綿千年，依舊存留在人們的記憶中；表現在文學作品之中，則成了地域的文化的特徵。

中國方言區，閩居其二：閩方言和客家方言，但是閩方言又是五花八門，細分為閩南、閩東、閩北、閩中，莆仙話東南北中都不屬，就叫莆仙話。莆仙話，閩南人聽不懂、福州（閩東）人也聽不懂。明代莆田作家姚旅寫了一本《露書》，其《風篇》說，莆語異於中原，但又保留部分古音古字，又說莆語某些土語如「打敵都」（謂刁嚚之難制者）等，「不知所解，亦不知所本」，我曾摘錄數條與莆生消遣，連他們自己都忍禁不俊。依我推測，民初以來數十年間，莆仙的行政單位、歸屬變化無緒，最後還是回到宋元明清的基本建制，一方面是行政區有它歷史穩定性，另一方面，莆仙二縣的特殊方言可能也起了重要的維繫作用，把莆仙歸到泉州，別扭；莆田專區（市），把講閩東（福州）方言的閩清、永泰、福清、長樂、平潭納進來，也別扭。

莆仙科舉興盛，這麼小的地盤，不多的人口，興化一府只轄二縣，歷代卻出了兩千多名進士，往北，堪同福州府比肩；往南，也不比泉州遜色，而超邁汀、漳、建等州。唐代「九牧林」之說，流傳已久；不經意，「九牧」成了著名商標，可能還遺存著科第官宦的密碼。我曾為台灣蘭臺出版社審過《明清科考墨卷集》的書稿，莆田觀察里第舊主人（九牧後人）搜集明代至晚清數千份科考試卷，以供子孫研習之用，用心良苦，令人歎為觀止！科舉制度已經消失一百多年，時至今日，一說起莆仙，大家馬上想到莆仙人勤學苦讀。前十年，我們一位莆仙學生報考復旦王水照先生的博士，面試時一口氣背了好多篇劉克莊的詩，過後王先生對我說，他喜歡福建（莆仙）的學生，他們愛讀書，會讀書。

古代社會，除了顛沛流離或居無常所的極少數人，他們從出生到成長都有一個相對穩定的地域，地域的文化在他們的一生無疑會打下不可磨滅印記。如果這個人不遊宦他鄉，不外出經商行賈，甚至沒有出過遠門，老死於鄉里，也就是說，終其一生，他只在一個特定的地域之中生活，只在某一個特定的地域的文化環境生活，他的地域文化的印記也就只有一個。

有些人有科舉功名，或其他原因，成人之後不斷地變換居所，他所經歷，可能是多個地域，生活在兩個以上的地域文化環境氛圍之中，但是，他的原鄉（出生和生長地）的文化可能長久地留存在他的記憶和生命之中，所謂老大還鄉，「鬢毛衰」而「鄉音無改」就是這個道理。

耒鵬就是屬於王先生說的愛讀書，會讀書的莆田人。他的《宋詞與地域文化》二十萬言即將出版，囑我作序。初讀書稿，很興奮。此書討論的是宋詞和地域文化關聯的問題，因此我首先想到莆仙的地域文化。莆仙文化除了我們上面談到的之外，還有莆仙戲、媽祖信仰，莆人性格耿直等。我們講地域文化，應當抓住地域最主要的特徵，而不是泛泛而談勤勞勇敢、海濱鄒魯之類。研究宋詞與地域與文化間的關聯也是如此。到底宋詞的地域文化的最主要特點在何處？楊海明先生曾經很精闢地論述過詞是江南都市文學的形式，耒鵬順著這一思路，認為宋詞的地域文化特質，一是江南文學，二是都市文學，都談到點子上。

討論宋詞的地域文化，兩宋之際是一個很值得注意的切入點。宋代和唐代不大一樣，唐代沒有「北」、「南」之分，也就是說，南宋的疆域已經比北宋大大縮小，淮河以北已經為金所有，不少人士人千方百計南奔。南奔的詞人有兩類，一類是北方人來到南方，另一類是原本在北方仕宦又回到南方。北方人來到早先不太熟悉的南方，所居地的變遷，文化環境與北方的差異，到了南方的北方人一方面有新鮮感，一方面則眷戀失去故土和家園。那些長期仕宦在北方的南方人，對他們來說是「南還」，但是這種南還卻充滿了苦澀，因為這時國家只剩下半壁江山了，在他們的人生經歷中有許多北方的記憶。所以，不論北方人南來，還是南方人南歸，都存在一個地域轉換的問題，存在著地域文化環境變化的問題。從北宋演化為南宋，由北方轉變成南方，時間和空間都產生巨大變化，無疑影響到詞的創作。

作為南方都市文學的詞，楊海明先生認為宋詞有它的獨特的意象，例如「水」，又例如「柳」，在宋詞作品中大量出現。未鵬研究宋詞，從地名入手：江南、杭州及西湖、蘇州、金陵、揚州及平山堂。江南一詞，隱藏著十分豐富的地域文化密碼：杏花桂樹，鶯鳴燕飛，春雨草長，煙柳畫橋，湖光山色，曉風明月，亭臺樓榭，檀板紅袖，諸多的密碼經過詞人的取捨組合，產生

▲ 陳慶元老師（前排左三）溫惠愛師母（前排左二）及諸同門林怡（前排左四）、徐安琪（前排左一）、苗健青（後排左一）、湯江浩(後排左二）、張家壯（後排左三）、陳未鵬（後排左四）於 2010年5月23日同游烏石山。

了柔媚的、軟款的、多情的、甚至是香艷的宋詞。江南文化密碼，造就了要渺宜修的宋詞；要渺宜修的宋詞，又淋漓盡致地表現了江南的地域文化。金陵一詞的文化密碼也很豐富。金陵作為六朝古都，號稱佳麗地、帝王州，其地有秦淮河、桃葉渡、蔣山青溪，華林舊園，宋詞的描繪都沒有缺席，而未鵬卻選取了「懷古」這樣一個歷史文化元素作金陵地域文化的研究點。不錯，金陵曾經是六朝古都，繁華一時，但是繁華的背後卻隱藏著痛苦，歌舞的背後卻有眼淚，東晉至宋齊梁陳先後對峙的是十六國、北魏、北齊、北周和隋，東晉丟失北方山河之後，南方政權仍然不斷受到北方侵擾。這是金陵的歷史記憶，也是金陵的文化記憶，從北宋開始，詞人的作品就不斷浮現這一段記憶。南宋與金的對峙，詞人更是以金陵懷古文化來澆他們心中的塊壘。朱鵬的論述，使人信服。三年的蘇州求學生活，讓朱鵬對蘇州這座江南古城產生了情感。我一向認為，研究地域文化與文學，研究者必須親踐其地，感受領悟其地的風土語境。《宋詞對地域文化的選擇性表述》一節，朱鵬以蘇州為例，選擇垂虹橋和姑蘇臺兩處加以論述，前者論隱逸題材，後者論滲入了隱逸內容的懷古主題，進而討論宋代蘇州的繁華與「繁華主題」在宋代蘇州詞中的缺失的原因。作者認為「宋詞對地域文化的反映也是有所選擇」，宋代詞人於杭州選擇其繁華的都市文化，於金陵選擇其歷史的懷古文化，於蘇州則選擇隱逸主題。

研究宋詞流派，較多從詞的風格入手。朱鵬論述流派，則「引入地域文化的視角，考察地域文化對宋詞流派的發生、發展和流派特徵的影響」，這一嘗試是有益的。本書論述流派並非面面俱到，而只選擇了江西一地進行論述。我們可體會到朱鵬的苦心，因為宋代江西詞人的人數僅次於浙江，在全國排第二位，歐陽修、姜夔都是江西籍的大詞人；其次，江西是南唐舊地，詞的創作有其傳統；三、宋詩中有江西派，從文體上說詩與詞是兩種不同文體，但詩詞也有相通之處；四、作為辛派詞人的辛棄疾曾為宦江西、隱居江西；五，江西是宋遺民詞人最多的省分之一。作為地域文學，江西詞人群的確是一個很值得深入研究的課題。

未鵬本科讀的是地理系，碩士博士讀的都是中國古代文學，我以為這種學科交叉的求學經歷也不錯。未鵬從詞學專家楊海明先生治宋詞，在選題時發揮了他地理學科的優勢，取得不俗的成績。《宋詞與地域文化》即將出版，祝賀他！相信此書能引起詞學界的重視。現在，學術界的研究提倡學科交叉，但是有的單位在錄用人才的時候，卻強調本、碩、博三個階段都必須同一專業，認為這樣基礎才會好，知識才會牢靠，這些單位政策的設計者，假如你能讀懂未鵬這部書的話，結論又將是如何呢？

莆田地域文化很獨特，我不是莆田人，上文所說莆田某些文化特徵，隔靴搔癢，可能未觸到痛快處。未鵬是莆田人，我期待未鵬能做出一個莆田地域文化背景下的莆田文學的課題，例如劉克莊，不知吾家未鵬以為可行否？

二〇一五年三月一日

林怡《閩學脈》序

二〇〇九年三月，受邀在台北影城華納威秀觀賞「星月無限」的試映。這部電影講的是金門兩個時期年輕人的生活和戀愛的故事，影片後一個時期的主人公之一，身份是文史工作者。不了解金門文化的人，可能誤以為文史工作者是一個研究機構或大學的職位。其實不然，金門的文史工作者，是對愛好文史、專業或業餘從事研究工作的人群的稱謂。你走在金門島上，不小心你就可以撞上一個這樣的文史工作者。十多年前，我第一次到金門就撞上好幾位，其中一位是工程師，在台灣有好好的工作，他偏偏喜歡研究族譜，把工作辭了，在金門的海邊租一幢房子，自費印族譜材料，一有文化活動，就在文化局擺攤贈閱。我的一個博士，退伍上校，也是金門人，畢業之後自己建立一個個人的文史工作室，他自己也就是文史工作者了。文史工作者，是一個讓人羨慕、甚至值得驕傲的稱謂。金門是一個文化之島，金門的戰地史、華僑史、朱熹的燕南書院等都有人研究，古橋樑、古厝、古井、鹽場、廟宇、宗祠、祭典儀式，以至姓氏燈號、古墓、題刻等等，也都有文史工作者在那兒做田調，埋頭著書立說。

在福州生活久了，連小孫女都說，我不是金門人，是福州人了。福建幾個較大的城市，廈門有銳氣，泉州有拼勁，福州似乎比較中和。而且福州是省會城市，地方文史固值得研究，如果站在省城的高度上，還可以進一步研究福建省的文史。福建省圖書館和福建師範大學圖書館，古籍的典藏，都可以稱得上中國的大館。你到省圖書館特藏部去看書，總會碰上三五位讀者在那裡埋頭查找地方文史資料，專心致志，旁若無人。林怡在杭州大學（後並入浙江大學）讀文獻學，又在山東大學讀古代文

學，獲博士學位，先後在福建師範大學和福州大學任教。早先，林怡從事的是六朝文學研究，十年前，她改換一個工作單位，仍然還是從事教學工作。當時我有點擔心，將來她怎麼做研究，研究什麼課題？兩三年後，我開始在刊物上讀到林怡的論文，她正在轉向地方文史的研究，逐漸成為地方文史工作者的一員。在崇尚高大上的社會形態中，在崇尚高大上的學術氛圍的籠罩下，地方文史的研究常常受到質疑（近年有所改善）。質疑之一，是研究對象不夠經典；其次，研究課題的意義不夠重大。輕視甚至輕蔑，有時讓人很難受。林怡最近在研究什麼？常常有朋友關心，這種關心多少還帶著懷疑——林怡往這條路走下去，學術行不行？其次，轉到地方文史的研究，知識積累還得有個過程。好在林怡受過良好的學術訓練，改換研究領域並不是一件太難的事，何況她生在福州，從小受到深厚的福州文化的濡染，同時有一種學術追求的孜孜韌勁。過了兩三年，她的《漸不惑文存》出版了，又過了兩三年，《榕城治學記》出版了，於是大家刮目相看，不僅學院派的學者認可她，社會上關心地方文史的許多人也認識她，知道林怡其人。

年前林怡和我說過，一家出版社要她把這幾年的論文都為一集出版，年後她送來書稿求序。一看書名《閩學脈——從朱熹到嚴復》，眼睛為之一亮。副標題提到的朱熹和嚴復，在內地，以至台灣，中等文化程度以上的人，很少有不知道的。林怡的研究，回答上面提到的問題。地方文史研究會不會關涉到經典作家？如果僅僅把《十三經》作為經典，朱熹、嚴復的著作當然不在其列，如果擴大而言之，《史記》、《漢書》，是史學的經典，老莊、荀子等是子學的經典，楚辭、李杜、陶潛、蘇辛是詩詞的經典，《文心雕龍》是文論的經典，「四大名著」是小說的經典，那麼，朱熹的很多著作，為何不可稱作是中國古代理學的經典？嚴復的很多著作為何不可稱作西學東漸的經典？其實，林怡這部著作的分量，並不在於她回答或不回答研究對象是否具有經典意義的問題，因為很多時候小題目也可寫大文章，很多時候研究對象不具有經典的意義，文章同樣能解決重要問題。林怡這部著作的意義，是通過對朱熹、嚴復等人的研究，討論中國歷史在某些關節點，具有真知酌見的思想家、哲學家如何斟酌舊學與新知，如何在新與舊之間創立出一種既繼承傳統又有異於傳統的新認知、新思想、新思維、新學說，從而推進中國學術思想繼續前行和發展。這也就是我們上文所說的：研究重大意義的課題。

朱熹有句云：「舊學商量加邃密，新知涵養轉深沉。」很有意思的是，林怡整部著作在討論朱熹、嚴復等人如何商量舊學、涵養新知的同時，她的思考、發論也是在商量舊學的過程中不斷闡發她的新知。研究朱熹、嚴復的思想學說和理論體系，已經有若干優秀的研究著作，但是不可否認，學界的研究仍然存在著溺於舊學與故作新態的兩種傾向。溺於舊學者，多局於或止於闡釋，而無新見；故作新態者，多不顧文本甚至不讀文本，抓住隻言片語，恣意發揮，離題萬里。

我很欣賞林怡對「閩學」這一學術術語的界定。往常討論什麼是閩學，很容易糾纏在朱熹是不是閩人的個案。講究籍貫是中國特有的文化，國際上更多的是看你的出生地。一個思想家的某種理論、理念、學說的產生，籍貫與出生地就那麼重要？成長、生活經歷及其人文環境，特別是師從、交游交友，對一位思想家、哲學家的學說、思想形成的影響，可能比他的籍貫是何籍、出生在何地更加重要。林怡對「閩學」的正名，我認為是相當有意義的。古人似乎較少自我標榜，研究文學，不免提到「建安七子」、「閩中十才子」，實際上建安、黃初並沒有「七子」之名，明初也沒有「十才子」之目，所謂「七子」、「十才子」都是後起的文學史名詞。「閩學」也是如此。「閩學」作為一個哲學思想流派的概念，作為學術術語，到底成於何時，涵意若何？林怡的結論是：「閩學」這一概念、術語出現在康熙年間。閩學的內涵，應當包括幾個方面：朱熹及其學說思想和理論體系；影響朱熹學理形成的閩籍學人及其學說思想；朱熹學術思想和理論體系在後世的傳承，即朱熹門人與後世歷代持守傳承研究朱子學的學人及其學說思想；朱熹的學術品格、精神操守對後世閩籍學人精神生活的影響。除此之外，林怡還認為，「閩學」雖然強調了朱熹的學說和理論體系形成於閩，「閩」是其地域有特色，但是其「學」又不局限於閩，其「學」是具有全國意義的「學」。閩學，是產生於南宋，是流傳數百年之久的中國的一種思想和理論體系。林怡的上述的論述，有兩點特別值得注意，一是朱熹的師承。朱松把朱熹託付給友人劉子翬，五夫劉氏，一門忠義，名垂青史。十年前，王小珍博士的論文選題，選的就是五夫里劉氏家族。武夷山水簾洞，至今供奉著劉子翬的神像，陪祀者是朱熹。朱熹處在陪祀地位的，通常只有在孔廟才可以見到。在崇安（今武夷山）民間，朱熹陪祀劉子翬並不是有意貶低朱子，而是為了突出劉子翬對朱熹的影響，以見朱子學之有自，這一認識，對我們今天研究朱子學應當是有啟示的。其次，朱子學說、思想和理論體系，影響之深廣，難以言喻。朱熹的代表作品《四書章句集注》，南宋嘉定五年（一二一二），《論語集注》和《孟子集注》已經列入學官，成為法定的教科書。寶慶三年（一二二七），理宗下詔，以為《四書章句集注》「有補治道」。明代官修《四書大全》，全錄朱熹之注。《四書章句集注》是明清兩代學官的教科書，也是科舉考試的依據。朱熹的學說思想，明清兩代奉為圭臬。朱熹的學說思想是跨朝代的連綿數百年、經久不熸的學說和思想，它不是一個「閩」字可以涵蓋得了的。

林怡這部著作，論述嚴復的部分約占三分之二，論述的範圍包括嚴復的政治學、社會學、文化學、宗教學、軍事學、船政學、翻譯學等方面，涉獵之廣泛，論述之深刻，非熟悉嚴復著作且有專精研究者不能道。二〇一四年，林怡受邀參加英國格林威治大學「嚴復，帝國海軍與皇家海軍學院」國際學術研討會，也從某個側面說明她的研究成果得到海內外同行的認可。回到本書的論題「閩學脈」，還可以看出林怡對嚴復的認識有她的獨到新見解。嚴復的學說思想，怎麼也納入到「閩學」之「脈」來呢？在研究嚴復學說思想的獨特性的同時，林怡還認為，嚴復熟悉朱子，受到朱子學說的浸染；嚴復在受到朱子學浸染的基礎上，求新、求變、求超越，他的「新」，甚至「異端」，也是對朱子學說的一種回應。因此，嚴復的學說和思想，是「入乎朱子，又出乎朱子」。這也就是朱熹一貫所提倡的「舊學商量」與「新知涵養」的精神，嚴復學說思想的脈絡，可以說是與朱子學說思想相通的，是與朱子為代表的閩學學脈相通的。明白這一點，也就明白本書為什麼也把李贄納入閩學脈中的的原委了。

在華納威秀觀賞「星月無限」那會兒，我的心突然怦然一動，在專家滿街跑的時代，如果鄉親也能承認我也是文史工作者的一員，我一定很開心！這是一個超乎名利地位、熱愛家鄉的稱謂，也是對孜孜追求學問、知識、內心純清的讀書人的贊美。在我這篇小序中，我不稱林怡教授、不稱她專家；不稱專家、教授，並不等於這部著作就沒有價值，這是一方面；另一方面，好像聽人說過，福州林氏近世多才女，我不是本地人，也沒有做過調查，不敢妄加論斷。林怡的書要出版了，我只是高興！

二〇一五年四月二十九日
於福州藤山華廬

鄭珊珊《明清福建家族文學研究》序

「螺女江空一派秋，白沙如雪合江流。旗山更在沙痕外，一葉漁舟幾點鷗」。這是由一三五首詩組成的《家山雜憶》中的一首，作者是清代康熙年間的侯官許遇。螺女江、白沙、旗山都是地名。南朝閩江畔已經有「白水素女」（田螺姑娘）的美麗傳說，其地名螺洲，江名螺（女）江。水面空闊，閩江北岸，白沙如雪，連綿數里。旗山，在烏龍江（閩江東流，過南臺島一分為二，南流稱烏龍江，北流仍稱閩江）南岸。沙痕之外，雲霧繞山，舞動如旗，更有一葉漁舟、幾點沙鷗點綴江面。二十多年前讀此詩，深深被許遇的詩情畫意所打動。我是金門人，在廈門長大，認識福州的人文自然，有一個過程，對這座歷史名城的熱愛，是漸進式的，如果說有個「節點」的話，或許是從一九九二年開始大量接觸包括侯官許氏的地方文獻開始的。這首詩是詩，也是水墨畫，多少年來一直深深印在我的腦海之中。

許遇之祖許豸，字玉史。天啟元年（一六二一），鍾惺為福建提學僉事，以許豸為侯官庠序之冠，曹學佺以為「觀其文，蘊藉已深，火候已到」（《許玉史易經義序》，《石倉三稿文部》卷三）。天啟四年（一六二四）鄉試中式，時人稱名至實歸；這一年，曹學佺長子孟嘉（一六〇一—一六二九）也參加鄉試，雖然落榜，但「心折服之」。曹孟嘉此時年二十四，許豸與孟嘉同為侯官人，同受知於鍾惺，又同參加鄉試，許豸的年齡應當和孟嘉比較接近，或者稍大。崇禎元年（一六二八），許豸又下第，與曹孟嘉過吳，購鍾惺遺稿以傳，不忘師恩如此。崇禎四年（一六三一）遂成進士。許豸除了《春及堂集》，又著有《易經義》一書，足見其經學方面的造詣。許豸書畫俱佳，曹學佺為作《題許玉史冊葉》（《石倉三稿文部》卷六）。曹學佺詩云：「應知題雁塔，書法冠羣英。」書法冠於當時。該詩又云：「德器渾成美，文章籍甚名。」（《送許玉史》，《賜環篇》下）曹詩作於崇禎三年（一六三〇），即許豸成進士前一年，也就是說，許豸仕宦之前，文名已甚盛。珊珊這部著作，研究明清侯官許氏家族文學，選擇許豸為第一位代表作家，一方面固是許豸活動的年代在晚明，另一方面，作為明清之際許氏「開山」作家，的確有值得研究的內容。作者的選擇，無疑是有見地的。

侯官許氏第二代的代表人物，一位是許友，一位是許珌。許友為許豸之子；許珌是許友的堂兄。許友詩書畫皆佳，稱「三絕」。許友之後，侯官許氏都以「三絕」傳其家聲。珊珊此書於許友用力最勤，分析最為精到，而且論述中往往筆帶感情。入清之前，許友與詩壇耆宿倡酬，頗得佳譽。非常有趣的是，明末福州一地，不僅有詩會，還有畫會；不僅有畫會，似乎還有樂會。崇禎十六年（一六四三），曹學佺三子曹孟濟在福州城內西峰池館開畫會，客有陳衎、陳鴻等，許友也與會，且表演擊鼓，徐延壽作《元夕集米友堂聽有介擊鼓醉後放歌七古》（《尺木堂集・七古》）。二月，花朝，許友在烏山開辦畫會，曹學佺和陳衎都有詩紀其事，陳衎有句云：「策杖林中輕靄散，銜杯花下暗香收。空餘墨汁金壺瀉，難挽寒泉入座流。」（《花朝許有介直書畫會石林時久旱同曹能始先生即席賦》，《大江草堂二集》卷六）畫會活動，明人別集似較少載述，故拈出，以引起同好者關注。崇禎十二年（一六三九），許友「集同社，合樂擊鼓」（《廣陵李芳生耳草序》，《大江草堂二集》卷十二）。所謂「合樂擊鼓」，當是在音樂的伴奏下擊鼓，或者說，是隨樂擊鼓。這是一次許友組織的、有社友參加的音樂活動，主要表演者也是許友。陳衎有《許有介擊鼓行》紀其事：「黑圈平正鼉皮顫，雙棒交連捷如箭。腕鬆指緊臂力均，高下疾舒隱復現。磬筦分明琴瑟調，鼓音起處群音徧。依永和聲，百樂君心相通成一片。許郎年少多奇才，酒酣奮擊日幾回？三丁失魄裂頑石，六龍盛怒驅奔雷。珠絲亂落春鶯巧，玉盤忽碎秋猿哀。中邊節奏皆有序，傍觀但覺心魂開。吁嗟許郎詩畫妙，音樂亦能得其要。野夫只解點頭看，世間萬事歸年少！」（《大江草堂二集》卷三）萬曆三十一年（一六〇三），烏石山神光大社，屠隆「奮袖作《漁陽摻》，鼓聲一作，廣場無人，山雲怒飛，海水立起」（錢謙益《列朝詩集小傳》丁集上「屠儀部隆」條）。少年林古度為作《撾鼓行》，名噪一時，惜詩已佚，擊鼓者姓名亦不詳。四十多年後，許友召集同社，在磬筦、琴瑟的伴奏下，腕肌時緊時鬆，時疾時舒，著力時重時輕，心手與百樂相匯通，觀者無不贊其高妙。陳衎此詩再現許友的音樂天才，讓人歎為觀止。合詩、書、畫與樂，許友可稱「四絕」。

方勇先生《南宋遺民詩人群體研究》，論述了福建的詩人群。比較於宋元之際，明清易代遺民文學要豐富得多。可惜福建明遺民文學的研究，不要說群體研究，就是個體研究也仍然處在薄弱的階段。珊珊此文論述了許友入清之後的隱跡及作品，頗多心得。我們不一定非得去譴責那些仕奉新朝的文人，但對那些崇尚氣節殉國者應當給予充分肯定。許友所作《祭倪鴻寶師文》、《祭盟叔世培先生文》、《祭曹雁澤先生文》等，於大節忠義毫不含糊。《祭曹雁澤先生文》：「先生痛念烈宗崩殂，髯攀莫逮，今幸得從先皇帝埽除山陵，臣之節也，臣應含笑入地，所以投繯從容。死生亦大，在先生絕無瞻顧以視，有其言而無其心，有其心而無其決者，先生加之。寧僅一等，是非大忠而何？嗚呼！先生若此，不愧有明大臣矣！」（《米有堂文集·祭文》）許友之父許豸與曹學佺子孟嘉一同參加省試，論輩分，許

▲ 鄭珊珊與陳慶元老師和溫惠愛師母合影

友要比曹晚了兩代，此篇祭文可謂擲地有聲。我們似還應當注意到許友之弟許有秩，許友《哭有秩弟》四首有云：「早年勤學道，近年略知兵。」「聞爾如歸地，荒山白骨中。一棺春艸綠，百里杜鵑紅。」「汗青千古事，何以報天公。」「鬼神猶有血，天地豈無情。劍骨爭中上，文心屬下平。」「野色皆燐火，春聲盡杜鵑。夜臺麟閣士，同酹一杯泉。」《米有堂詩・三律》）綜合以上信息，有秩當死於參軍抗清。文心並不重要，劍骨令人矚目，故得留名於汗青、麟閣。明清易代之際，還有許多類似於許有秩這樣的、大大小小的詩人值得我們去認識、去研究，無論是「汗青」、「麟閣」，還是文學史，都不應該遺漏他們的名字。

珊珊這部家族文學研究著作，很重要的一個突破點，就是不囿於男性的家族體系。中國傳統社會重男輕女，家族譜系只記載男不記載女，反映到近年家族文學的研究，只研究父系的承傳，未注意到母系的承傳。許氏這個家族多有妻女能詩能文，或許都不太可能進入研究者的視野；如果是甥女、外孫女，就可能被遺棄；不要說外甥女，外孫女，即便是外甥、外孫，因為不同姓，不同「宗」，也有常常被摒棄於「家族」之外。對於侯官許氏家族來說，許氏的女性詩人，外家黃姓詩人，都是這個兩百多年間巨大文學網絡的組成部分。此外，許氏妻室，亦有能詩者。缺少了許氏女性詩人參與，缺少許氏外家黃性詩人的參與，缺少許氏能詩妻室的參與，這個家族文學的研究無疑就存有缺憾。許友妻是明末文學家黃文煥之女；清代著名詩人黃任是黃文煥的曾孫、許友之外孫，黃任詩的成就很高。黃任的長女黃淑窕、次女黃淑畹都能詩，甚至黃淑窕之女游合珍、黃淑畹之女林瓊玉亦能詩。我們在研究婚姻關係時，較多注意政治上的或官場上的結盟，其實明清文人的姻親關係，還是很重視「文脈」傳承的，這方面，我們可以舉出許許多多的例子。珊珊的研究突破以父系系統為家族文學研究的藩籬，對我們當今家族文學的研究當有所啟示。珊珊這部著作，開拓處還不止於此，許氏園林文化的研究，也有其精彩之處，在諸多家族文學與文化的研究著作中，成績也是比較突出的。

珊珊和多數博士一樣，做研究工作很注意文獻的蒐集和甄別。許友的《米友堂集》，藏日本內閣文庫，幾經輾轉，才得到照片，很不容易。《箬繭室詩集》，蓉城仙館叢書，民國陽新石氏鉛印本，舊題許友作，經珊珊考訂，可能是偽作。珊珊做研究的一個特點，是「勤跑」，即作實地考察。勤跑，包括兩方面，一是訪問許氏後人。訪問，不能保證都有收獲，如獲得意外的研究素材等，但不作訪問，心裡肯定不踏實。其次，是實地考察。清初，許珌任鞏昌府安定縣（今甘肅省定西縣）知縣，珊珊非要瞭解個究竟不可，於是隻身從福建跑到定西。定西學界和民間研究者很驚訝，遠在福州的許珌老家會有一個年輕的弱女子也在做這方面的研究，而且從東南跑到咱們西北的定西來。於是為她提供了便利，還專門為她開了座談會，協助調查許珌在定西的遺跡，使珊珊增強了感性的認識。

福鼎毗鄰浙江，明代有烽火寨。烽火寨是福建三大水師要塞之一。福鼎背倚磥磥砢砢的太姥山，面朝浩浩渺渺的東海，珊珊生於斯、長於斯。太姥山雖非三岳可比，但秀出南斗，特立於福建東北。珊珊是少數幾位碩博士都跟著我的學生之一。珊珊的研究工作已經起步，且越來越成熟，說不定將來有那麼一天，她的研究會備受學界的關注，至少在某個領域有她獨特的貢獻。我於珊珊有厚望焉。

二〇一五年四月二六日

楊海明《唐宋詞人生》書後

本文的題目，是從楊海明教授新著《唐宋詞與人生》緒論的標題《著眼「人生」：詞學研究的新視野》移來的。本文作為一篇書評，受楊海明新著的啟發，也將稍作發揮。

早在一九九七年，楊海明與鄧喬彬、鍾振振三位詞學專家同時應邀來我所任教的學校講演，一時間，引發中文系師生研讀唐宋詞的小小熱潮。楊海明所講的題目就是《唐宋詞與人生》。作為講演的主持人，我在小結的時候說：從多少讀過若干篇唐宋詞的人，到像我這樣讀得比較多的大學教師，我們都有一種隱隱約約的感覺，那就是唐宋詞對我們的人生（特別是情感方面）有著一種無形的浸染作用（下面一段話，當時想說但沒有說：譬如一九六五年春節，我情緒非常低沉，就是一個人躲在圖書館裏抄錄宋詞以排遣的，這本筆記，我至今還保存著）。但是我們或者說不出來，或者沒有說，或者雖然說了，但沒能說得清楚，像楊海明教授說得這樣動情，這樣有理論深度，而且描述得如此全面，我還是第一次接觸到。

二〇〇二年五月，也就是講演後的第五年，楊海明的新著《唐宋詞與人生》出版了，並且當月就寄達我處。花了將近兩個月的時間，很仔細地通讀一過，有的章節還反覆讀過多次。讀後的感受，自然要比聽講演更進一步，故樂意將此書推薦給大家。

關於文學與人生，一般認為，文學即「人學」，文學的任務就是要表現人生——人的生命，人和人之間的關係，人的思想和情感等等與人相關的一切東西；而文學對當代和後代的人又會產生各種各樣的影響。文學對人生影響最大的是俗文學，例如小說和戲曲。楊海明《唐宋詞與人生》對中國古典文學與人生這一問題的闡述，主要有以下觀點：古典文學作品包含著十分豐富的人生意蘊，而這些有關人生問題的蘊含通常又有著精美的藝術包裝，因此能吸引和感動讀者之心；由於今人和古人的人生狀況有著相似和相續性，今人與古人在心理氣質方面也大致相通或勾連，所以，作為精神產品的古典文學作品至今仍相當程度地影響著現代人的感情生活和文化心理，這一方面，中華民族長期的文化心理沉積起了不可忽視的作用。而詞作為一種文體，楊海明認為，它比古典詩文通俗，而比小說戲曲文雅，有著特殊的文體優勢，因而也就能同時獲取雅俗兩大讀者群體的喜愛，其影響力幾乎涵蓋全社會稍具文化水準的各式人群。詞尤其擅長表現私生活環境中的人生情思，特別是人生情思中最為精微深細的那些部分。由於詞從產生之初起，就具有一種柔媚的特質，所以從心理指向來說，它扮演的是「女教師」的角色（古典詩文相對則為正經、嚴肅的「男教師」），從整體和主流來說，唐宋詞不像「男教師」那樣刻板，而像「女教師」那樣和藹，她既給人以體貼和關懷，又教人懂得愛和對柔情的珍惜，使讀者的情感變得更加豐富和細膩。而這種「移情」的過程，則是在一種潛移默化——「潤物細無聲」中進行的。所以，千百年後，唐宋詞仍能引發無數讀者與它進行心靈的對話與感情的交流。

《唐宋詞與人生》除了緒論和餘論外，主體分為上下兩編。上篇為《唐宋詞人的人生態度和生命體驗》。人生苦短，對唐宋詞人來說是一種集體性的感歎，但對不同的詞人群、特別是不同的詞人來說，如何渡過各自短暫的一生，如何對待生命，又如何來實現人生的價值，卻是很不相同的。故作者選取兩個詞人群（花間詞人群、南宋愛國詞人群）和九位詞人（李煜、晏殊、柳永、晏幾道、蘇軾、李清照、朱敦儒、辛棄疾、姜夔），對他們各不相同的人生態度和生命體驗作逐一研究和分析。同樣面對短暫的人生，花間詞人是「醉入花叢」，表現出一種頹廢的生活方式，而南宋愛國詞人們則以「人生欻云亡，好烈烈轟轟做一場」（文天祥）這樣的豪情向世人宣示他們的人生大義。面對著人生這一重大課題，每一個詞人都可能表現出不同、甚至截然相反的處置態度。再加上各自涉世深淺、性格剛柔之異，心理氣質、思想面貌的不同，他們所積累的人生態度和生命體驗也就千差萬別。身為大宰相的晏殊就體會不到柳永屢舉不第的辛酸，而柳永也不會體會到李煜亡國破家的悲慟。書中所選擇的九位詞人都是唐宋詞人中的大家，這是不錯的，但作者在選取這九家進行分析、論述，其實卻是頗費一翻苦心的（例如作者曾深入研究過、並為之出版過專著的張炎就不在其中）。《唐宋詞與人生》一書不是採取通常的文學史的描述的方法，而是在進行比較研究之後揭示九位詞人對人生的不同態度和生命體驗：李煜——悲劇性生命體驗；晏殊——惜時心緒；柳永——走近世俗的人生哲學和人生況味；晏幾道——懷舊心態；蘇軾——睿智的人生感悟和處世態度；李清照——女性的人生情懷；朱敦儒——暮年的人生悔恨；辛棄疾——政治幽憤中的人生悲涼；姜夔——飄零的人生之感和戀家之情。李煜等九位詞人表現出處置人生重大問題的態度和生命體驗各不相同，都頗具代表性。研究雖然是從「個體」入手，但從整體上來看，所展示的唐宋詞人處置人生的態度和對生命的體驗，則是全景式的。

下篇《兩宋詞中的人生世相和人生況味》，楊海明首先提出唐宋詞的創作實際上是一種

「集體無意識」行為的命題。無數的詞作的出現，是數不清的唐宋詞人集體（無意識地）努力的結果，那麼，其中就必定存在著某種共同性和某些相似的情況，例如對戀情題材的熱衷、詠梅詞的大量出現等等。而在這種「集體無意識」舉動背後，必然存在著某種共同的文化心理。本篇的重點是兩宋詞，楊海明在分析產生大量詞作的兩宋社會的政治、經濟、文化等「土質」的同時，從作品入手，將兩宋詞有關人生的「集體無意識」創作分為四章來進行研究：享樂風氣和享樂詞；高雅的生活情趣和「雅玩詞」；戀情生活和戀情詞；人生憂患和怨嗟詞。一章又分若干節，例如「雅玩」詞一章，下分六節，分別是：宋代文人的嗜「雅」傾向；休閒生活與園池詞；郊遊活動與泛舟詞；山水之趣與隱逸詞；賞花之樂與詠梅詞；結社唱酬與西湖詞。按照楊海明的說法，詞作是社會人生的「土質」生長出來的「植物」，而分類的研究不過是將「植物」的「物種」加以分門別類而已。下篇的研究似比上篇更加充滿情趣，一方面是涉及的內容與我們現代的生活有更多的通連的地方，另一方面，作為詞學研究專家，楊海明在寫作的時候也滲入了自己更多的人生體驗，也就更容易引起讀者共鳴。無論是楊海明在寫作過程中，還是讀者在閱讀過程中，實際上也是唐宋詞滲透現代生活的過程，現代人同唐宋詞人進行心靈對話和情感交流的過程。

《唐宋詞與人生》一書有許多精彩論述。根據作者多年讀詞和研究詞的經驗，楊海明把唐宋詞的人生意蘊歸納為四個方面：珍惜生命和看淡人生；知足戒貪和勇於承擔；赤子之情與成人之思；尋覓詩意和享受閒適。對於唐宋詞中那些「享受人生」的作品，過去的研究總是較多地看到它的消極頹廢的成分，甚至全盤否定。而作者認為，唐宋詞人從「享受人生」的角度出發來珍惜每一寸生命，此乃人之常情。那些抒寫生老病死、聚散離合，傷春悲秋、喜怒哀樂的詞作，其深沉的思想底蘊差不多都可以歸結為對生命的無限珍惜和眷戀，特別是面對死生這樣人生的根本大問題時，更投入了異常沉厚的人文關懷。而在培育「珍惜生命」之情感的同時，唐宋詞又能給人以「看淡人生」的思想啟示。「看淡人生」不是患得患失，恰恰相反，它是療治過分患得患失精神羈絆的藥方；對人生的看淡，有時還顯示出詞人（例如辛棄疾）非常人可比的大胸襟和大氣度。與「看淡人生」相關聯的是「人生如夢」，作者認為，在唐宋詞人諸多思想武器中最能使自己徹底鬆綁的法寶要數「人生如夢」的觀念。他們把正在進行的人生呼之為「夢」，豈止是看淡人生，而且是全盤地「看穿」人生。作者補充說，「看淡」或者「看穿」人生，一是詞人在社會生活中不得不然；二是他們看淡或者看穿人生，通常只是看淡或者看穿人生中某些不必要的累贅之物（例如功名利祿）而已，而不是看淡或看穿人生的全部。類似的論述不止一處，讀後不能不叫人擊節讚賞。

《唐宋詞與人生》這部專著，值得稱賞的還有以下幾個方面：

積累豐厚，果實碩大。自上世紀八十年代初，楊海明出版第一部專著《張炎詞研究》，至今將近二十年。這期間，楊海明陸續出版了《唐宋詞風格論》、《唐宋詞論稿》、《宋詞三百首新注》、《唐宋詞縱橫談》和《唐宋詞美學》等著作，研究範圍不出唐宋詞，可以說是「術業有專攻」、積累深厚的詞學專門家。即使不把前期積累算在內，《唐宋詞與人生》這一課題的研究，從正式著手到出書，大約也花了五、六年的時間。深厚的積累，加上認真嚴肅的寫作態度，往往是一部著作成功的保證。按照楊海明自己的說法，前期的那些研究工作，對本課題來說，只是一種「週邊戰」，但我們要說，如果沒有前期的那些準備工作、或者說積累，即便花更多的時間，想寫出這樣具有拓展意義的專著來似乎也是不大可能的。說實在，對眼下一些研究者，動不動就揚言一年、甚至半年就出一本專著——天才雖然不能說沒有，但我還是常常抱著一種懷疑的態度。

其次，與楊海明論著的一貫風格一樣，這部《唐宋詞與人生》也寫得生動活潑，有情趣，不時還有一些比較風趣的話語或比喻（例如上文我們提到的「男教師」、「女教師」，「土質」、「植物」、「物種」的比喻）。楊海明認為，唐宋詞是一種雅俗共賞的文體，楊海明在研究唐宋詞時，其最初動機是否也有做到雅俗共賞的目的，我們不知道。但從這部《唐宋詞與人生》，作為古典文學研究的同行，同時也作為讀者，筆者似乎強烈感受到楊海明有這樣一種願望或者期待——專家讀了它，會覺得它是一部嚴肅認真、有深度並富有開拓意義的專著；一般的讀者讀了它，也能接受，也能從中體會到唐宋詞的某些人生意蘊，也能從中得到某些啟迪，還能接受其中美感的陶冶。我並不反對論著用高深的文字或半文言

的方式來表達（因為有時不得不如此），但我卻很欣賞楊海明論著文字的這種表達方式，它能吸引更多的讀者，能引起更多的讀者產生共鳴。我以為，在強調發揚中國優秀的傳統文化的今天，楊海明的

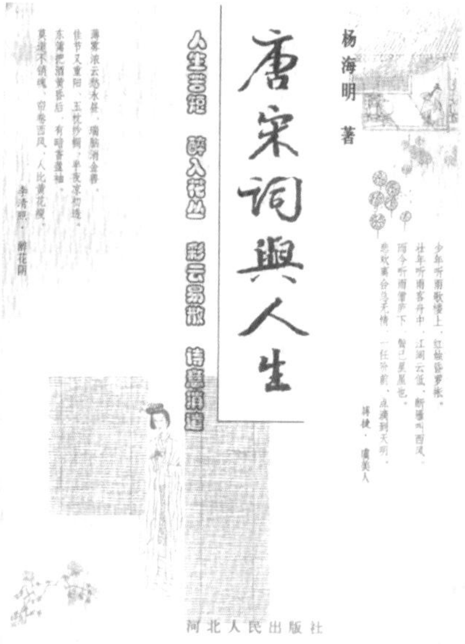

◀楊海明《唐宋詞與人生》書影

《唐宋詞與人生》的文字表達，是很值得借鑒的。

再次，楊海明的這部《唐宋詞與人生》拓展了古典文學研究的視野。我們的這篇書評，不直接題為《關注人生：唐宋詞研究的新視野》，而將「唐宋詞」置換成「古典文學」，讀者可能還會責怪筆者題不切文。其實這是筆者故意的安排。本文如果只評論此書對唐宋詞研究的創新，是僅僅看到這部著作的內涵，而不能看到它的外延。「唐宋詞研究的新視野」，只能評價此書對唐宋詞研究的新貢獻，而說「古典文學研究的新視野」，則指的是它對整個中國古典文學（包含唐宋詞）研究帶來新的啟示。筆者認為，楊海明的《唐宋詞與人生》最重要的價值可能還在後者。楊海明在《自序》中說：「倘使此書能夠引起注意，激起古代文學研究同仁們從『人生』角度探求各類古代文學作品之思想底蘊的興趣，從而拓寬研究視野與研究路子，那就是筆者最感欣慰的事了。」楊海明此書的出版，肯定可以達到預期的目標。受楊海明此書的啟示，今後的若干年內，肯定會有一批類似于《唐宋詞與人生》的關注人生的古典文學研究著作與讀者見面（也期盼出版《唐宋詞與人生》的河北人民出版社能繼續出版此類著作，並將其編成一套《古典文學與人生》的叢書），我是一點也不懷疑的。所以，本文用《關注人生：古典文學研究的新視野》的題目來對楊海明教授此書關注人生、拓展古典文學研究新視野的價值作一粗略的評價，當是比較恰當的。

二〇〇二年七月於福州煙山南麓華廬

顏立水《金同集》書後

同安建縣之前，金門屬晉江。同安建縣至民初，現在的廈門（含集美、灌口）、翔安以及金門，都隸屬於同安。現在，集美、同安、翔安，都是廈門市的一個區，金門則是一個福建省的建置縣。行政區域的沿革，是歷史地理學的研究對象之一。諺語說「無金不成銀」，「無金不成同」，是說銀城（同安別稱）、同（銅）城離不開金門，也就說同安與金門歷史上密不可分。由於歷史的淵源，即使金門建縣之後，金、同的聯繫依然緊密。我一直在想，維繫金、同緊密聯繫的，固然有各種各樣的「緣」，但最重要的是「地緣」，以及與地緣密不可分的行政沿續關係，其他各種「緣」，五緣也好，八緣也好，甚至是十緣，都是由此派生出來的。金、同阻隔數十年，但是，自然的地緣力是不會因人事的阻隔而消歇的，歷史上行政沿續的無形之力也是短時期內難以消除的（數十年，在千年的歷史長河中是很短暫的）。

《金門學叢刊》已出版三輯三十冊，這三十部著作研究了金門的方方面面，有很高的史料價值和學術價值。其中兩部，則與其餘二十八部略略不同，一部是顏立水的《金門與同安》，另一部是吳培暉的《金門澎湖聚落》（均為第二輯，金門縣政府，一九九八年版），這兩部著作雖然與其餘各部一樣，研究都立足於金門，但前一部則追溯金門與其原母縣同安的淵源，後一部更探尋了金門人向澎湖遷徙的軌跡。這兩部書的編入，反映編者深邃的見識與開闊的視野，也更使《金門學叢刊》更為飽滿。

《金門與同安》一書，在《叢書》的三十部著作中，最為特別之處在於，顏立水是所有作者中惟一一位居位在大陸的學者。初讀此書，翻開作者簡介，有些驚訝：顏立水，筆名岩立，祖籍金門賢厝。歷任同安縣文化局局長、同安縣文物管理委員會副主任、同安縣宗教局局長。書前有時任廈門文化局局長彭一萬先生作的序，書後有作者寫的跋，根據這些材料，我才知道，顏立水多年來在《金門日報》發表了數十、上百篇有關金、同的文章，是研究金門、同安地方文史、風土民俗的專家。或許是這一原因，引起《叢書》總編輯楊樹清先生的注意，楊先生請時為福建省金門同胞聯誼會會長的許文辛先生傳達了邀稿的雅意。《金門與同安》一書的撰寫經過和列入《金門學叢書》的經過大約如此。

顏立水一九六七年畢業於廈門大學中文系，這樣算來，他與我在廈門一中讀書時的學長陳慧英、林斌龍、曾時新是同屆同學了。陳是著名的作家，林後來在一家報社任要職，曾未畢業就被有關部分抽調走了。自讀了《金門與同安》一書之後，一直想會會作者，同時向他請教同安文獻、文物的問題。

二〇〇五年八月二十四日，廈門市金門同胞聯誼會常務副會長許伯欽先生發來傳真，說金門縣寫作協會楊理事長清國先生一行，將於二十六日上午抵廈，當日下午赴同安，二十七日在同安舊政協大樓舉行《金門縣寫作協會赴同安讀書會與交流活動》開班式，楊理事長特邀請我參加。細看讀書會交流活動日程表，楊先生一行赴同所讀之書是顏立水的《金同集》，顏還將為寫作協會會員們作導讀。我立即請辦公室的同志給伯欽打電話，說一定去。

二十六日晚邊，驅車趕到同安梵天寺與寫作協會的同仁會合。協會會員來了九位，楊清國先生是新一屆的理事長，洪春柳、王先正等位，都是在金門見過的老朋友了。寫作協會中，還有一位很活躍的陳延宗，《金同集》的序就是他作的；延宗見過的次數最多，因為忙於編務，未能隨團而來。顏立水親自導遊，一石一龕，如數家珍。天色漸漸黑，突然想起韓愈「山石犖确行徑微，黃昏到寺蝙蝠飛」（《山石》）的句子來，並講解給隨我同來的研究生。我兩次黃昏過古寺，前一次是二〇〇一年前六月，與李梅等遊建甌光孝寺。薄暮，江雨橫空，寺院空曠，全不見遊人蹤痕，殘牆斷垣，饑雀蹦上跳下，至今印象良深。而此行有僧導引，建議舉火看壁上佛畫（亦即韓詩「舉火來照」者也），因晚餐在即，未果。餐

▼ 顏立水（左二）陪同金門文化人士吳鼎仁（左一）、黃振良（右二）、陳榮文（右一）到蓮花沃溪考察朱熹遺跡（2003）

席上，立水贈以《金同集》（中國文聯出版公司，二〇〇五年版）。

《金同集》有作者小照一幀。立水明顯偏瘦，很隨意地站在一古寺院（疑即梵天寺）中，頭戴一頂閩南斗笠，要不是上衣兜還插著一把鋼筆，你說他是同安的老農他就是同安的老農。這就是立水的本色。也許是孤陋寡聞，縣區以上的科局長，偏瘦且膚色偏黑的，印象中好像很少見過。顏立水當他那個局長，騎著一輛破自行車，騎起來，什麼地方都會響，就是車鈴不響。一聽說那個山頭岩谷有個古墓石碑，什麼地方有座不明的寺廟或什麼破玩藝兒，無論路多遠、多難走，他都要去看個究竟，焉得矖不黑？疲於奔命，又怕別人說他不務正業，常常利用節假日和休息時間加班加點，連胃都切掉三分二，焉得不瘦？僅這點從事文化事業的精神，就足以令人肅然起敬！在長達數十年的不正常的政治生活和社會生活中，「不務正業」的帽子有時是很嚇人的，立水的擔心並非多餘。我也曾目睹過某些很有才華的讀書人，一旦步入仕途，即便是充當了文化官員，十年甚至數年之間，文化才華幾乎喪失殆盡，最多是仍舊停留在入仕之前的水準。是不是因為害怕有人非議「不務正業」從而放棄了研究？前些年，我們紀念鄭振鐸，說的幾乎都是他的文學作品及現代文學史上的貢獻，鄭先生在現代文學史上的地位非常重要，這一點是毫無疑義的，但是，作為共和國的一位高級文化官員，他在文物鑒定收藏、善本書搶救保護、目錄學版本學研究等方面所作出的貢獻，則是近數十年來少有學者能同他比擬的。難道鄭先生做的這些工作，也是「不務

正業」？

是夜，讀《金同集》，頗為感動，因此也稍稍不平靜。第二天，我在會上發言，對《金同集》基本評價是：顏立水的成果即使是放在大學教授中，也一點不遜色。立水的數十年的研究，已自成系列和特色，他長年以同安、金門的文史、文物及民俗為研究對象，研究的成果集中，已經形成系列；兩岸學者談起金、同的研究，沒有人不知交顏立水的，故先有《金門學叢書》的邀稿，後有寫作協會同仁來同安讀他的《金同集》。顏立水學問的基礎扎實，從他的成果看，又廣泛地涉獵到考古學、宗教學、民俗學、譜諜學、方志學和方言學等各個專業領域。顏立水的治學又是嚴謹的，他的論著不尚空談，重實證，尤其是重第一手材料。二十世紀初，王國維先生在談到研究方法時，提出既要重視地面的文獻材料，又要重視地下的、亦即考古發現的材料的觀點。立水運用的第一手材料，有時就是他親手從地下挖找出來的碑銘，如果這些碑銘不經他的發現，也許從此湮滅；而這些碑銘的發現，又是他研究的、從未有人用過的第一手使用的原始材料。他對材料的掌握達到了相當嫻熟的地步，看他的論文，在論述一個觀點的時候，所引證的材料常常不是一條兩條，有時會達到十條八條之多。立水的研究，有一些是別人未曾做過的拓荒性的工作，例如對明代詩人蔡獻臣（名列《靜志居詩話》）四代人的研究等等。當然，立水的研究與「學院派」也稍有不同，他的研究非常注重鄉土，注重實際。大學和科研機構的某些文史工作者，不太願意去關心縣區的文物文獻，甚至覺得研究縣區的文物文獻似乎低了一個層次，研究要瞄準「大家」、大課題，似乎研究縣區文物文獻是「小兒科」。我以為，立水的成功就是不去理會這些，他的腳踏實地，不僅為地方發現並保護了一批文物文獻，而且憑藉他那淵博的方志、譜諜的專門知識為海外朋友的尋根、尋找親屬做出了實實在在的貢獻。

立水已經退休兩三年了，他說，現在終於可務正業了。聽了這話，似乎是應該為他高興，但不知為什麼，我卻覺得些些的辛酸。是夜，我和我的學生到他寓所看他，因拆遷，他住在過渡房，很簡陋。立水知道我想看看幾方碑銘，又贈我舊著《冬耕集》（鷺江出版社，一九九六年版。從《冬耕集》，我還知道，更早他還出版過《秋實集》，並編過一些民間文學的著作）。明天，我就要離帶著《金同集》和《冬耕集》離開同安了，我握著他的手說，過些時侯，還要來同安向你請教，還要請你帶我去看金門人蔡復一的故居，看金門人蔡獻臣的墓廬。多保重！

二〇〇五年九月七日

《金門洪景星先生墓誌銘》書後

洪植城先生出《金門洪景星先生墓誌銘》拓本，言：「景星，曾祖也」。《墓誌銘》直書、繁體，多僻字、俗字，不易識，植城先生囑予改為簡體、橫寫，並加標點。植城先生家金門烈嶼，與余同縣同鄉，故欣然應命。

《金門洪景星先生墓誌銘》，陳衍撰文，侯官林韡移書丹，閩縣林石廬篆蓋，閩縣林清卿刊石。陳衍（一八五六—一九三七），字叔伊，號石遺，晚稱石遺老人。侯官（今福州）人，晚近同光體閩派之魁首，著有《石遺室詩集》、《石遺室文集》等十數種。石遺老人與洪景星先生年相若，有深交，景星沒，故為之撰銘文。

洪天賞，字景星，生於清咸豐九年己未（一八五九），卒於民國十九年庚午（一九三〇）。銘文作於天賞卒後次年，即一九三一年。洪氏世居金門烈嶼，營航業。家道中落，天賞父中年棄世，天賞尚在孩童之年，遂隨世父移居省垣福州，至鬻餺飥為生。稍長，重操祖業，遠至山東、華北、東北。久之，輪船日興，帆船日替，轉為茶葉製作和貿易，海上遇險，九死一生，而歲獲奇盈。樂濟善施，茶廠員工達數百人之多。烈嶼洪氏，世代繁衍於生存環境險惡之小島，靠海吃海，出海營生，頗具拼搏冒險之精神，且相商機而能應變，艱難創業，百折不撓，金門人習性如是。

《金門洪景星先生墓誌銘》一文，《石遺室文集》不載，此佚文的發現，當補入。然《石遺室文集》四集有《書洪天賞事》，文云：

> 洪君天賞。金門烈嶼人。世營航業。寖有蓋藏。翦然傾覆於洪濤。家中落。戮力再造。回翔燕、齊、遼、沈間。久之。改營茶業。矢言獲奇贏。歲擢若干算。以襄義舉。垂三十年如一日。私計刊書勸善。何以能傳萬本也。制藥施濟，何以能達四方也。出口茶，歲千萬箱，箱亟二物，則不脛而走矣。乙丑七月以數艘載茶上海舶。中途颶風起。一艘遂至垂沒矣。力疾搬卸。甫畢而艘沈。值八千餘金無一損者。論者以為微箱內善書善藥之關係，不及此。其年十月匪軍踞南港。九十餘鄉糜爛。遺黎塗炭。救濟會起。君遽捐巨金。以為兵災天下之至痛也。君字景星。今年七十。子心廣。能恢父業而體父志。書之以為好行其德者勸。（陳步編《陳石遺集・石遺文集》四集，六六二—六六三頁，福建人民出版社二〇〇一年版）

此文云「今年七十」，天賞卒於一九三〇年，年七十二，則文作於一九二八年。陳衍作此文，天賞已垂暮，故於營茶業、施善諸事，亦述之頗詳，足見書事為稍晚陳氏撰銘文之礎基。然書事無洪氏家世譜系及天賞遷徙省垣諸事，而詳於銘文。書事「乙丑七月」，銘文改為「乙丑六月」，銘文後出，訂正前文，當以銘文為是。

天賞子心廣，孫七：汝端、汝方、汝正、汝直、汝嶼、汝青、汝岐。前四者，取為人當端方正直。嶼，烈嶼也；青岐，烈嶼一地名，洪氏祖居地。警示後人時時不忘鄉梓。植城先生謂余曰：心廣十子，長早夭，依次即銘文汝端七人。天賞卒於一九三〇年，汝岐後，又有汝康，生於一九三七年，現居永安；汝康後又有汝寧，生於一九四〇年，現居福州。陳衍老人卒於一九三七年，故未及見汝康、汝寧之生。汝寧者，原福建省金門同胞聯誼會副秘長、福州市金門同胞聯誼會副會長也；一九八五年，福建省金門同胞聯誼會成立，汝寧為十七發起者之一。汝寧子植錦，福州市政協委員、福州市金門同胞聯誼會副秘書長。

植城，天賞之曾孫，心廣之孫，汝方之子，原供職於福州市商業局，原福州市金門同胞聯誼會理事，年屆八十，神情矍鑠；子輝益，福建省金門同胞聯誼會常務理事、福州市金門同胞聯誼會會長。

金門烈嶼，與植城先生同宗之洪必照、洪楷孕後人尚健否？

二〇〇六年二月十九日

【附錄】

金門洪景星先生墓誌銘

侯官陳　衍撰文
侯官林韡栘書丹
閩縣林石廬篆蓋

漳、泉人善懋遷阜財，島居者尤夥頤。金門洪景星先生，則律于史遷《貨殖傳》中人而無愧色。先生諱天賞，世居縣之烈嶼。曾祖諱必照，祖諱楷孕，操航業，資轉運，寖有蓋藏矣。翦焉，傾覆涔澥洪濤中，家用蕩析。考耀奪公中年棄世，先生方齠齔，妣馮宜人，劬勞撫育，顧貧無立錐地。世父耀尊公挈底省垣，至鬻餺飥為活，困可知也。稍長，勠力理舊業，回翔燕、齊、遼、沈間。久之，長船務，運業蒸蒸日上矣。乃光緒中，輸紙至牛莊，值日俄搆兵，物價一落千丈，先生首決脫貨，未甚折閱也。不旋踵，諧價者求解約，願貽多金，峻卻之。乃貨主郵書咎專擅，先生終不獲諒，遂慨然休職，惟與舶商通有無。又久之，輪船日興，帆船日替。先生曰：「昔白圭有言：『智者不足以權變，勇不足以決斷，非吾術也。』茶葉，吾山國產，改營茲業焉。可既得勢，饒益則出。」矢言曰：「陶朱公三致千金，分散貧交，疏昆弟。吾歲獲奇盈，定擢若干算以襄義舉。」於是南郡公學，悅頤堂敬節，廈島建祠，或獨任，或倡捐，其他茲善不可枚舉。垂三十年如一日。嘗計刊書勸善，奚以傳萬本也；制藥濟急，何以達四方也。出口茶，歲萬箱，箱虱二物，則不脛而走矣。歲乙丑六月，命數艘載茶登海舶，一艘遭巨風，遂至垂沒矣。力疾般卸，甫畢，而艘沈，值萬金而無一損者。先是，嘗航海返里中，途觸礁。同舟胥罹厄，先生無恙，論者以為皆行道有福云。歲在上章敦牂，月建巳，癸丑日，疾終台江寓廬，春秋七十有二。其明年逮寅之月，配陳宜人復疾終內寢。宜人善事威姑，舉一男二女，率躬乳哺。撫兄公遺孤如己子。備極室勞，賙恤饑寒也。防力薄因濫以漏，常遣謹願僕嫗密察里巷，真無告者。茶廠工作恒數百人，中多婦女，慰勞殷勤，暇則諄諄以講婦道。男心廣，訓飭必嚴，曰：「獨子姑息，不啻無也。遺以金不如遺以德。」心廣用能早恢父業而繼父志。女，長適蔣，次適趙。孫七：汝端、汝芳、汝正、汝直、汝嶼、汝青、汝岐。孫女、曾孫、曾孫女各二，亦以盛矣！心廣將卜葬先生于高蓋李厝山之陽，宜人附焉。以衍知深，乞為銘，銘曰：「趨時觀變猛而鷙，前沈後揚足扶義。江神海若斂恣肆，蒙祐咨齎紛涕泗。俾爾繩繩毋失墜，既佚既息妥此隧。」

閩縣林清卿刊石

吳宏一《留些好的給別人》書後

二〇〇五年七月十九日，吳宏一教授從香港來。這天，颱風從連江登陸，雨大如注，我去他下榻的「西酒」拜訪。吳教授此行，專為看書而來。前兩年，他也到過福州一次，也是為看書而來。從香港動身前一星期，他發來一航空信件，可是等我收到信件時，吳教授已經在回港的機上了，時間過去了整整十天，二十一世紀了，郵路的不暢到如此地步，令人扼腕。慣例，假期圖書館每周開放一至兩次（古籍部一次，基庫兩次），福建師大圖書館的方館長和古籍部的鄭主任，特地為吳教授開館接待，風雨天，他們放棄休息，令吳教授和我都十分感動。此行，吳教授贈《留些好的給別人》（香港明報出版社，二〇〇四年版），回贈以《三曹詩選評》（上海古籍出版社版，二〇〇四年第二次印本）。

吳教授是臺灣高雄人，祖籍福建南靖，一九七三年在臺灣大學獲文學博士學位，博士論文為《清代詩學研究》。吳教授長期執教於臺灣大學，曾赴哈佛大學訪過學。吳教授還參與臺灣某些大學中文系的籌建工作、研究院中國文哲所的籌建工作，編寫過臺灣地區使用的中

小學的國文教材。九十年代，吳教授應香港中文大學之邀，赴港任該校中文系講座教授，前幾年從中文大學退休，又被香港城市大學聘為講座教授。吳教授對中國古代文學情有獨鍾，從先秦到晚清，研究視野廣闊，而於清詩的研究成績尤為突出。他治學十分嚴謹，為港臺澳及祖國大陸的同行所稱許。

吳教授中國古代文學的研究著作不下十種，研究之餘，間或寫些舊體詩、新詩和散文。《留些好的給別人》是吳教授的散文新集。這些散文大多發表在香港的《明報月刊》，大陸的讀者無由先睹為快。我與吳教授認識十餘年，又是同行，有較多的見面機會。吳教授由於長年從事文字工作，視力很差，動過手術，有感於友人在香港做白內障手術成功作了一篇《刮目相看記》，因作《大開眼界記》。吳教授曾對我說，眼睛出了毛病，看東西常常「霧裡看花」，稍遠一點的物體更加「倩女離魂」，遇見熟人鄰居則「視而不見」，不知誰何。他做過三次手術，不僅「刮目相看」，而且「眼界大開」，但裝上的畢竟是人工水晶體，是假瞳仁、假眼珠，故吳教授常常自嘲自己是「目中無人」、「有眼無珠」，讓人忍俊不禁。這次吳教授贈書，再三展閱，不能不佩服吳教授的智慧、機警與幽默。

《留些好的給別人》一文與書名同題，可以看出作者對此文的特別喜愛。作者一位友人的前輩說，小時候出門去買橘子，母親對他說：「要留些好的給別人，不要把好的全挑光了。」這位母親雖然不識字，但是她的一句話，卻讓友人的前輩受用無窮。作者說：

> **這句話，也使我悵惘了很久，使我想起童年的些往事。我的母親彷彿也說過類似的話。她常教我要謙虛，要為別人著想。譬如說，搭公共汽車要讓位給老弱婦孺，走路要讓別人先過，吃東西不能盡挑自己喜歡吃的，「要留些好的給別人」……**

我們經常講弘揚中國的傳統文化，而什麼是中國的傳統文化呢？大道理可以說出許許多多，闡述的文章可以寫出一篇又一篇。但我覺得，吳教授所講的「留些好的給別人」，其實就是中國一種傳統，一傳統種美德，沒有什麼深奧的大道理，沒有什麼高深的學問，一代又一代的母親們，把這名句言教給她們的兒女，一代人又傳給下一代人，「覺得媽媽所教的，都是天經地義」。吳教授聽了友人前輩的這番話，為什麼「悵惘」久之？因為他目睹了台、港六七十年代以來世風變化：「很多人覺得不能老是讓自己吃虧，於是開始爭位子，爭權利，爭享受，有福

明　月　文　庫
收在本書中的作品，大多與台灣、香港有關。它們可以說是吳宏一這些年來的心靈告白，也是這些年來他的生活紀錄。
吳宏一　著
留些好的給別人

先享，有事先推。用買橘子做比喻，大家都搶著要好的，而且搶著把好的挑光，憑什麼留下好的給別人享受？」於是，吳教授說，以前不識字的母親都很自然地教兒女買橘子要留了些好的給別人，現在我們識了很多字、懂了很多道理的父母，「但不知道為什麼吝嗇講這樣的一句話」？

吳教授行期匆匆，我邀請他明年如果得暇，在福州多住兩天，並趁便到福建師範大學文學院講演。二〇〇六年六月四日，吳宏一教授再次來福州看書，六日到文學院作了《中國古代文學研究的若干問題》的講演。福州的國學大講堂開講兩個多月來，熱熱鬧鬧的，每月兩講，越來越為社會各界所關注。吳教授來福州之前，徵得他的同意，我們於九日晚在《福州晚報》社八樓大廳也安排了一次他的講演，吳教授講的題目是《唐宋詩詞顏色字》。我一向認為，講演大約可以分為兩大類，一是深雅，一是通俗。深雅，非常強調嚴謹的學術性，不是同行不容易聽懂；通俗，則更加重視受眾的情緒，聽講者眾多、而且場面熱烈。這兩者當然沒有高下之分。吳教授的講演一氣貫注，聲情並茂，且能由雅而入俗，深入而淺出，我主持過大大小小的許多學術講演，但像吳教授在福州所做的這兩場，氣氛這麼好，聽眾如此投入、如此配合的並不太多（二〇〇三年詩人余光中來福建師範大學講演的那一場效果也很好）。我們不能不為吳教授深厚的學養和高超的講演藝術所折服。

留些好的給別人，以買橘子為例，是說買橘子時不要把好的都挑光，好的也要分些給別人。如果從另一個角度來理解這句話，能不能說，一個人來到世上，是不是也應該留些好東西給他人，給這個世界；能不能說從事中國古代文學研究的學者，在他的一生中，也應該留些好的學術成果給他人，即留些好的成果給同行、給晚輩、給後人？我這樣解釋，可能已經離開吳教授《留些好的給別人》的本意，但我想吳教授也一定會同意我的這一看法。現在學界有一股浮躁之風，出書出文章要快，不僅要快，而且書要厚，文章要長（書厚和文章長當然不可一概而論），我們在出書出文章的時候能不能先想一想，能不能給他人、給同行、給晚輩、給後人「些好的」（成果），而不是些粗製濫造的東西？吳宏一教授新著《清代詩話考述》一書馬上要在臺灣出版了，為了撰寫這部著作，吳教授不僅聯合了港、台和大陸幾十位學有專長的學者，而且多次往返於港、台和大陸，跑了幾十個大大小小的圖書館，僅福州一地就來了三次，去年和今年他的來榕，就是為查閱圖書而來，就是為核對這書的資料而來，相信《清詩話考述》是一部給他人、給同行、給晚輩、給後人的一部好書，是吳教授所說的「留些好的給別人」的一個組成部分。我們期待此書的早日出版。

二〇〇六年六月十三日

《陳長慶作品集》書後

姓名相同或相近，在國人中好像不是一件什麼了不起的事兒，但對當事人來說，有時未免比較關注。如果媒體報導的罪犯恰好和自己同名同姓，那就頗不自在；如果同名同姓者是名人，不免多少有點竊喜。福建有兩個較有名氣的人和我同名同姓，有好事者千方百計找機會讓我去結識他倆。姓名的相近，當然比不上相同那樣「直接」，但也會引起自己的較多的關注，這似乎也是人之常情，法國漢學家陳慶浩，和我是一字之差，而一見如故，稱兄道弟，不久前臺灣學者王國良到法國訪問，兩人一聊，提到我，慶浩立即拿起電話，打到我家裏來，寒暄一陣。陳長慶也與我一字之差，雖然他的「慶」字在後，順序與我不同，但也是屬於姓名接近的一類，因此第一次見到這個名字時也引起我的注意。《金門日報》副刊常常連載他的小說，早幾年太忙，我又不研究小說，故只知其名而不識其作品。

承金門文化人陳延宗兄的厚愛，《金門叢書》第一輯十冊（聯經出版社，二〇〇三年版），出版後就寄贈給我。對金門文學，我很不熟悉，其初也是隨便翻翻，看看書名和書的體裁，粗粗瞭解一下作者，漫不經心的。小女進了碩士班，要選論文題目了，找我商量。我寫論文，一向不喜歡選別人做過的或與別人相類的題目，有時一個課題做了一半，發現有人也開始做相同或相近的題目，常常割愛放棄。正好有一套《金門叢書》在手，金門歷代文人眾多，比較出名的作家也可找上好幾個，我想，以金門文學作為研究對象，寫一篇碩士論文，題目當不至於太小，材料也不至於不夠。雖然小女也有她的導師，仍免不了要和我切磋，於是就逼著我去讀些金門作家的作品。和大多數人的閱讀習慣一樣，一大堆書，找來讀的通常首先是小說，本來就有點印象的陳長慶所著《失去的春天》便成了首選。

《失去的春天》如果從情節上來說，並沒有什麼離奇的地方。陳長慶在《踽踽人生（代序）》（《失去的春天》卷道）中寫道：

想為讀者留下的，不僅僅是一個故事或一篇小說；而是為生長在這方島嶼，與走過烽火歲月的島民作見證。於是我以青春和愛情作為本書的主題，讓歲月隨著時光流失，讓情感因環境而生變，讓渺小的生命回歸原點；更讓我們緬懷六十年代艱辛苦楚的農耕歲月，以及軍管時期、戰地政務體制下的悲傷和恐懼。

在實行「戰地政務」時期，駐紮金門的軍人和本地的老百姓，是不能隨便離開這個海島的，如果特別的需要，也得經過嚴格審查並發給通行證才得以放行，而且一般的民眾和普通的軍人也不能搭乘飛機，只能乘船在海上顛簸。作品的女主人公顏琪小姐是來自臺灣的藝工隊演員，因病重不能得到及時救治，等到審批完畢，還走了點關係，送回臺灣已經為時已晚，最後香銷玉殞。儘管兩岸的讀者對長達數十年的對峙，立場可能不同，價值評判也可能不一，但是讀完這部小說，對顏琪小姐的同情應當是相同的。在這部小說中，我第一次知道金門「戰地政務」時期設有「特約茶室」、有「侍應生」。陳長慶引起我的極大的關注，一是他是土生土長的金門籍作家，作品講的是發生在金門的故事，故事的男主人公「陳大哥」又是金門的青年，太武山、小徑、古岡湖、雲根漢影，金門的山山水水都被他收入筆下。其次，陳長慶曾是「戰地政務」時期福利組的重要雇員，見過大大小小許多的官員和事件，他的小說大多都與大家都非常關注的「特約茶室」、「侍應生」有關。

《陳長慶作品集》書後

當我閱讀《失去的春天》一書時，《金門日報》正在連載陳長慶的《走過烽火歲月的特約茶室》，我對報刊的連載一般都無多大的興趣，讀了《失去的春天》之後，卻特別想把陳長慶的作品都找來讀讀，於是就把過期的《金門日報》重新翻揀出來，依順序閱覽讀一過。不久，報載《走過烽火歲月的特約茶室》將增益其他內容仍以原名出版成書。我曾向陳延宗兄打聽過陳長慶和該書的出版情況。二〇〇五年十二月，福建省金門同胞聯誼會成立二十周年慶典活動在西湖賓館拉開帷幕，陳長慶也在邀請的名單之列，延宗兄說陳長慶長年開一家「長春書店」，沒有人手，走不開。陳長慶托他帶來《走過烽火歲月的特約茶室》和《日落馬山》兩書。我已經多年沒有集中一段時間讀當代小說，特別是集中讀一個當作家的小說了。從《走過烽火歲月的特約茶室》所附《作者年表》中，我得以知道陳長慶的著作非常豐富，計有：

1 長篇小說《寄給異鄉的女孩》，臺北林白出版社，一九七二年版，同年再版，一九九七年三版；

2 長篇小說《螢》，臺北林白出版社，一九七三年版，一九九七年再版；

3 中篇小說《再見海南島，海南島再見》，臺北大展出版社，一九九七年版；

4 長篇小說《失去的春天》，臺北大展出版社，一九九七年版，二〇〇三年收入《金門文學叢刊》第一輯，臺北聯經出版公司；

5 長篇小說《秋蓮》，臺北大展出版社，一九九八年版；

6 散文集《同賞窗外風和雨》，臺北大展出版社，一九九八年版；
7 散文集《何日再見西湖水》，臺北大展出版社，一九九九年版；
8 長篇小說《午夜吹笛人》，臺北大展出版社，二〇〇〇年版；
9 中篇小說《春花》，臺北大展出版社，二〇〇二年版；
10 中篇小說《冬嬌姨》，臺北大展出版社，二〇〇二年版；
11 散文集《木棉花落花又開》，臺北大展出版社，二〇〇二年版；
12 中篇小說《夏明珠》，臺北大展出版社，二〇〇三年版；
13 長篇小說《烽火女兒情》，臺北大展出版社，二〇〇四年版；
14 長篇小說《日落馬山》，臺北大展出版社，二〇〇五年版；
15 散文集《時光已經走遠》，臺北大展出版社，二〇〇五年版；
16 小說集《走過烽火歲月的金門特約茶室》，臺北大展出版社，二〇〇五年版。

陳長慶還有《咱的故鄉咱的詩》七篇收入《金門新詩選集》，金門縣文化中心編，二〇〇三年版。此外，艾翎還編有《陳長慶作品評論集》，臺北大展出版社，一九九八年版。

二〇〇六年三月，蔡襄研究會的同仁擬到金門與蔡氏宗親聯誼，邀我同往，上半年本沒有回金的打算，剛好閱讀陳長慶之作正熱頭上，也就隨他們踏上海船了。此行的重要安排，就是拜訪陳長慶，並希冀從他那兒再要些他的作品，如果能搜集齊全最好，將來或許能做一個研究陳長慶的課題。十日，浯島溫暖有如初夏，我只穿著襯衫，黃振良兄先已和陳長慶聯絡，在他的引領下，我們來到後浦的長春書店。已經是下午四點左右的光景，陽光斜斜地照入書店，更有一種溫馨的感覺。如果比較於我曾光顧過的臺北彭老闆的文史哲等書店，「長春」還算開闊。但是書店除了三面牆體全是書架，中間也還是書架，擁擠不堪，左側中間有一個電腦桌，記憶中好像沒有比這個桌面更小的電腦桌了——擺上電腦之後，邊緣不超過十釐米，勉強可放一隻不大的茶杯。坐椅是沒有靠背的那種硬凳子，如此簡陋的陳設，用心良苦，無非是為多挪出更多的空間擺放書籍而已。電腦打開著，是另一部長篇小說《小美人》的稿子，作者正在進行最後的修改，即將在《金門日報》副刊連載。除了姓名相近，我和陳長慶還有一個共同「點」，即兩人同年。飽經風霜，不僅刻在他的臉上，而且顯露在他的滿頭白髮上。但是他目光如炬，神情兩旺，卻是六十歲人中很少見的。書店有點冷清，間或也有讀者光顧，陳長慶很熟練地算帳、找零、開票。自一九七四年離開「福利單位」創辦長春書店，已經有三十多年了，十幾部的小說、散文就是在長春書店這樣的環境中寫就的嗎？

臨行，陳長慶從書架上抽出《春花》、《冬嬌姨》、《夏明珠》等七八部書簽名相贈。說實在，我還很想讀讀他的處女作《寄給異鄉的女孩》。《寄給異鄉的女孩》自一九七二年初版，至一九九七年已經出了三版。黃振良《回首來時路——〈寄給異鄉的女孩〉三版代序》在談到金門本土作家時說：「至於在文藝寫作的成就方面，長慶算是工夫下得最深，也是最有成績的一位了。」（《仙洲群唱》，金門寫作協會會員專輯一，一九九九年版）陳長慶說，這本書還是有點錯字，等修訂再次出版時和其他書一起寄給我。振良兄為我們在書店前拍照以作紀念。

當我在寫這篇文章時，《小美人》也許還在連載中，也可能已經連載完畢了，因為我看到的《金門日報》常常是一個多月前的舊報紙，好在我的興趣主要是在副刊方面。離開金門已經三個月了，長春書店裏的陳長慶還在那兒賣他的書，也還在書城中寫他的書吧？「儘管頂上無烏紗，胸前無勳章，復無傲人的學歷、得獎的次數可以炫耀。然而，文學卻猶如是我心中的春陽；當我踏上這條不歸路，即使它崎嶇不平、坎坷難行，依然會一步一腳印，無怨無悔地走到它的盡頭……」（陳長慶《踽踽人生路》（代序））是的，寫作也是一種艱辛的勞動，特別是對陳長慶這樣一個沒太高學歷、沒有什麼更高社會地位的島民來說，更談何容易！但是陳長慶靠著他的努力，也靠著他過人的資質走過來了，前路儘管還有崎嶇、還有坎坷，但大道如青天，我很看好這位同齡作家的創作前景。

期待著在長春書店裏再見到陳長慶，期待著在長春書店裏讀到他寫出來的新書！

二〇〇六年六月十七日

【附錄】

敬畏學術——我和《文學遺產》結下的五十年不解之緣

研究生入學面試，我時常會問考生：你讀過何種學術期刊，最喜歡的是哪一種？如果我聽到有考生回答：讀過《文學遺產》、喜歡《文學遺產》。我一定會喜形於色。報考古代文學的考生，知道《文學遺產》，讀過這份期刊上發表的文章，本來是很正常的事，但是由於種種原因，回答能讓我滿意的不是太多。每位參加面試的教授都有各自的評判，不能強求一律，但就我個人而言，卻是來自內心的喜愛。

喜愛一份刊物，總有它的理由。我對《文學遺產》的喜愛，是因為《文學遺產》是一份長期以來令我敬畏的學術期刊。中學時期，熱衷於創作，《人民文學》、《詩刊》是我最仰慕的期刊。上了大學，對中國古代文學情有獨鍾，後來又考上研究生專攻古典文學，不期然而然地轉向學術，慢慢地就和《文學遺產》結下不解之緣。於是，就有五十年前淘《文學遺產增刊》之舉，就有三十年前的投稿，就有十年前的獲獎與協助主辦論壇。

五十年前：淘得《增刊》兩冊

一九六四－一九六五年間，到圖書館翻閱《光明日報》上《文學遺產》，具體的事情已經記不清了，但是我在大一、大二時就知道有《文學遺產》有這樣一個欄目，讀過它的文章，則是確定無疑的。一九六六年四五月間，「大革命」的風聲越來越緊，作為封建社會產物的古代文學讀物，書店架子上的書越來越少。聽說書店馬上要關門，傾囊中所有的十來元錢，購買了包括《魏晉南北朝文學史參考資料》上下冊（《先秦》一冊、《兩漢》一冊，前一年已經購買），沒有想不到，這部書後來對我考研和作研究至關重要。這是「文革」爆發前我最後一次在書店購書。

在破「四舊」最火熱的那會兒，也是廢品店收購生意最好做的當頭。看到板車上拉著被遺棄的舊書，心裏總是隱隱作痛，有一次，我還用講義和拉板車的工友換回了幾本，其中兩三本，至今我還珍藏著。這一年秋天，串聯時我認識了兩三個比我高一班的同學，其中一位是老鄉，姓黃；另有一位在省紅衛兵總部任要職，姓洪。有一天，黃同學說，他從總部洪同學那兒打了幾張空白條。黃同學說，我們可以用空白條打張介紹信，說是革命大批判需要，到貴店（廢品店）購買舊書，請予支持。步驟是這樣的，先踩點，摸摸這座城市有幾個大一點的廢品倉庫，其次還得了解管倉庫的師傅和我們的證明是不是同一大派系。調查的結果有三四家。大概一星期左右去一家，第一家最順利，要什麼書都由我們自己挑，倉管還幫忙出主意；第二三家一般，也可以挑；到了第四家話不投機，落荒而逃。黃同學好壞還是「紅外圍」，我卻連外圍也不是，趕忙收線。這種和「破四舊」對著干的行當，現在想起來不免有點後怕。三次淘得的舊書，共一百多斤。淘來的書大體這樣分割，外國文學和現當代文學歸黃，古代文學、古代史歸我，書款平分。我分到的書有《古文觀止》、《唐才子傳》等等，其中有兩本《文學遺產增刊》。

兩本《文學遺產增刊》一本是第二輯，作家出版社，一九五六年一月第一版，一九五七年一月第二次印刷，印數六千五百零一冊到一萬六千五百冊。這樣的學術論集，一年間竟然刷了兩次。就是第一次印刷六千五百冊，比當今大多數學術論著的一兩千已經多出很多，一萬六千五百冊，更是非常罕見。可見當時《增刊》在古代文學界的魅力。不必諱言，受到當時主流思潮的影響，這一冊有多篇論文討論作家的人民性，也有幾篇帶有批判的色彩。盡管如此，還有幾篇篇幅較大的「純」學術論文，如楊公冀、張松如先生合撰的《論商頌》、許可先生的《讀「文心雕龍」筆記》，每篇論文超過二十頁，比起那些數頁至十來頁的討論人民性或批判文章份量要重得多（全書收文二十一篇，計二三一頁），不知道是否編輯的有意安排？另一本是第十一輯，一九六二年十月版。當我看到目錄上俞元桂先生的《劉勰對文章風格的要求》時，大為吃驚。俞先生時為福建師範學院中文系副主任，是大家都很熟悉的現代文學研究專家，怎麼能寫出這樣高水準的古代文學批評的論文？俞先生一九四三考入國立中山大學研究生，三年後畢業，畢業論文作的就中古代文學的題目（手稿藏中山大學圖書館），畢業後在協和大學主講中國文學史、歷代文選、《文心雕龍》等課程。當時，我讀不懂《文心雕龍》，自然也讀不懂俞先生的論文。盡管如此，至少我明白了一個道理，要做好現當代文學的研究，沒有寬厚的古代文學基礎是不行的，後來，我陸續讀了現代文學研究大家王瑤先生的幾部中古文學的著作，更加印證了我二十歲時讀《文學遺產增刊》的認識。

我帶著這兩本意外得來的《文學遺產增刊》到軍墾農場鍛煉，一九七〇年代初又帶著它們到我任教的農村中學，後來又帶著它們去上研究生。一九八〇年代初我研究生畢業到大學任教，停頓了十五年左右的《文學遺產增刊》又陸續分輯由中華書局出版，一九八三年十一月出版的第十六輯，同時刊登了孫映逵、楊海明、鍾振振三位學長的論文，這一年，振振兄三十二歲。三位學長的學術研究都比我好，成績也都比我大，後來，他們三位都成了《文學遺產》雜志的基本作者，振振兄還當上編委。

三十年前：我的一篇文章

一九八〇年六月，停刊了十四年之久的《文學遺產》復刊。六月至十二月，共出版三期，每期我都及時購買。當時我還在南京師範大學師從段熙仲（一八九七－一九八七）先生治兩漢魏晉南北朝文學，第二期發表了段先生的《漢大賦產生的歷史背景與其政治意義》，這一年先生已經八十三歲。段先生每次上課都作精心準備，這篇論文就是根據授課內容改寫而成的。聽了課，再仔研讀這篇論文，對漢大賦的理解無疑進一步加深了。因為研讀段先生的論文，同時也就細讀了同期和前後數期《文學遺產》，段先生把我領進學術研究，也把我帶進《文學遺產》這份學術期刊。

一九八二年我到福建師範大學任教，其後的兩三年間，我給自己補課。補課的內容有二，一是遍讀先秦經籍、諸子以及《國語》、《戰國策》等；二是細讀百篇典範性的論文。我自己定下典範性的論文的大致範圍是：名家的研究集和《文學遺產》上的論文。每篇論文我都作了詳細的筆記，包括論題的選擇、文章的結構、論證層次、論證時所採用的資料等。哪些題目我寫得了，哪些寫不了；如果這個論題我可以試著寫，我大致上會怎樣寫，哪些問題我會想到，哪些想不到；哪些材料我看到過，哪些沒讀過，看到過的材料我會怎樣取捨。

一九八四年，我寫的《江淹「筋力於王微，成就於謝朓」辨》一文發表在《文學遺產》一九八五年第四期上。此文從江淹詩的特點、訓詁學、以及鍾嶸對永明聲律說的態度等方面對《詩品》「江淹條」進行辨析，得出鍾嶸認為江淹詩比王微來得有力、江淹詩成績比謝朓來得高的結論。一篇小文，本不足道。沒想到三十年間，這篇文章既得到同好的贊許，也偶有討論的意見。曹旭先生編《中日韓〈詩品〉論文選評》（上海古籍出版社，二〇〇三年），收入此文，評曰：「前人注釋江淹『筋力於王微，成就於謝朓』，皆不得要領。拙著《詩品集注》亦無所適從；此文一出，自可安頓江淹而告慰鍾嶸。」曹先生增訂本《詩品集注》（上海古籍出版社，二〇一一年）採用本文的結論。曹先生是《詩品》專家，廣泛採擷諸家之說，足見其學術胸懷。《文學遺產》二〇一四年第一期有一篇討論鍾嶸《詩品》「江淹條」的文章，列舉了「筋力於王微，成就於謝朓」十數條詮釋，三十年前我的舊作及曹旭先生修訂本《詩品集注》也在其中。該文作者偶然翻檢一部訓詁著作，以為「筋力於王微，成就於謝朓」之「於」，釋為「如」，即筋力如王微，成就如謝朓。亦是一說。我的舊作，從訓詁的角度釋「筋」，義謂「強力」：「就」，義謂「高」。如果說文字的詮釋是外在的，那麼我的舊文論述江淹詩的特點、鍾嶸對永明聲律的評價較低，則是內在的。內外的論述詮釋，也許比較全面。三十年前，撰寫此文時尚未讀到王重岷先生的《詩品講疏》，王先生的著作論述此條時，認為「筋」、「力」是副詞，「成」、「就」也是副詞，王先生還從作品入手，認為此二句，應釋為江淹詩的筋力稍強於王微、成就稍高於謝朓。雖然小文的論證角度與王先生不完全相同，但結論暗合。

《江淹「筋力於王微，成就於謝朓」辨》發表十餘年之後，不意被人抄襲，換了一個題目發表。我致電該刊編輯部，編輯說是此文是某研究另一領域的老專家介紹的，抄襲者比我小不了幾歲，是某校教授。我一直以為，文章有人抄，抄後還能發表，至少說文章還不算太壞。或許這是一種自我解嘲的辦法。我沒有提出讓抄襲者公開道歉，或打官司，是不想把事情鬧大，抄襲者受不受懲處是一回事，發表抄襲的刊物、責編、介紹的老專家、抄襲者的單位都不免難堪。息事寧人，相安無事。近年來，發明一種軟件，可以檢索雷同文字的百分比，但學風端正的路子似乎還還很長。我的國內和境外的朋友中，好些都被有被抄襲的經歷，內心都比較糾結，好像說出事情真相，就是和抄襲者、和抄襲者的單位過不去似的。抄襲者因此也有機可乘，抱著僥倖心理一試。冷靜想想，我們的不揭露、不要抄襲者公開道歉、不去要求抄襲者單位正視這種行為，是不是多多少少也助長了不良風氣的滋長？一篇文章被抄，除了對原作者不公外，還有對原刊、原出版社的不公。譬如說，抄我那篇文章的人，照理說，除了應在所發表的刊物上道歉之外，還應該向《文學遺產》道歉，因為你抄的是人家刊物的文章。

十年前：獲獎與論壇

一九九〇年代末，王季思古代戲曲古代文學研究基金會設立《文學遺產》雜志優秀論文獎。王季思先生是段熙仲先生上世紀二十年代中央大學前身東南大學的同學，王先生過世後，他的學生創立以先生名字命名的基金會，旨在獎勵古代戲曲古代文學研究有成績的論著。《文學遺產》雜志優秀論文獎，一年評一次，後來改為兩年一次；凡是得過一次獎的，不能再得第二次獎。開始幾屆得獎的優秀論文，大多是著名的專家，也有學界的新秀。二〇〇四年八月，我在南京參加一個學術會議，偶遇《文學遺產》編委傅璇琮先生，傅先生治學非常嚴謹，獎掖後進，頗受學界尊重。傅先生微笑地對我說：「現在可以講了。」我一時丈二金剛摸不著頭腦，傅先生又接著講：「祝賀你，你的論文獲得《文學遺產》優秀論文獎了。優秀論文評獎經過好幾道程序，最後一輪的投票，最終得獎的只有四篇論文，你的論文得獎了！」緊接著，《文學遺產》編輯部李伊白主任也來電通報，說發表在二〇〇二年第一期的《大明泰始詩論》獲得二〇〇二—二〇〇三年度優秀論文獎，後來我拿到的獎狀，證書的日期果然就是二〇〇四年八月。

我是《文學遺產》讀者，長期訂戶，也忝列作者的行列，對《文學遺產》的各種活動比較關注，哪篇論文獲獎、作者是誰？以前我一直認為，這個獎似乎可望而不可即，沒想到自己也得了獎。近二十年來，各種獎項林立，主流評價體系重視政府獎。我當然也看重政府獎，但是我很珍惜《文學遺產》這個優秀論文獎，因為這是同行所評的獎，除了基金會頒發的獎金，也沒有層層的「配套」，不太帶有行政的或功利色彩；再說，凡是得過獎的作者，按評審規則，不能有第二次得獎的機會，這也是一生中的「唯一」。

更沒想到的是，二〇〇二—二〇〇三年度的頒獎儀式是隨即在福州西湖賓館舉行。早在二〇〇三年，《文學遺產》主編陶文鵬先生和我商訂，二〇〇四年的論壇和編委擴大會在福州市舉行，福建師範大學文學院作為主辦單位。論壇是陶先生任內的一個創舉，在陶先生之前，徐公持先生主編《文學遺產》時，也舉辦過多次的學術會議，有在北京辦的，也有在地方與院校合辦的，每次會議都有一個鮮明的主題，名稱雖然有所不同，但都是很有意義的學術活動，中國古代文學界都很關注這些活動。到二〇〇四年，《文學遺產》論壇已經舉辦過兩三屆，這屆剛好評過獎，所以也就連帶舉行頒獎儀式。所謂西湖賓館，其實就是一個老式招待所，每個標間一百多元。論壇結束之後，如果想在福建各地走走的學者，有兩條綫路供與會者選擇，一條是武夷山，一條是湄洲島、泉州，當然都是自費的。會議組織者只協助聯繫旅行社而已，我也沒有陪同。

這次論壇，也有一些創新，如每篇論文都安排評議人，這也是和國際會議的「接軌」。後來，《文學遺產》雜誌發表了會議的部分論文，論文之後也都附有評論，這些簡短的評論，都是論壇上評論的簡要版。那幾屆《文學遺產》論壇，會議規模都不大，正式代表一般是四五十人，給人的感覺似乎是參加者多是中國古代文學界的「精英」，「規格高」，不過那時還沒有「峰會」一說。限於規模，保證規格，「入場券」（邀請函）一「券」難求。就主辦單位而言，也只好根據早先設置的門坎，本校同仁雖然都應邀參加了會議，但是教授是代表，副教授以下為列席代表。不要說是過後，就是當時，我也覺得很對不起那些要求與會而我沒有給他們發邀請的朋友，也對不起本單位那些當時還不是教授的同仁。如果說，論壇也有不足，這是其中之一，責任在我。

半年前，現任《文學遺產》主編劉躍進先生帶領文研所十幾位專家走出中國社科院大院來到福州，與福建師範大學開展「一對一」活動。劉先生此舉，解決了上次我主辦論壇的尷尬，文研所十幾位專家和福建師大二十來位同仁圍成一大圈，「沒大沒小」，更沒有代表與列席之分，發表論文，暢所欲言。福建師大，既不是「九八五」，也不是「二一一」，論地域也不在京津、滬寧杭，劉先生「走出去」第一站來到福建師大，說明在劉先生心目中，研討學術，是不必太講究學校的層次和地域所在的。

《文學遺產》創刊的那會兒，我剛上小學，但是當我剛剛步入青年時代，就和它結下不解之緣。我是它的讀者，長期訂戶，還是它的作者，為它審過稿，得過它的獎，辦過論壇。一九九〇年代中期，我還擔任了《光明日報·文學遺產》的編委。《文學遺產》老一代的編委，有的是我的老師或師輩，他們給我許多的關心和幫助。如曹道衡先生，第一次主持答辯的碩士生就是我；又如章培恒先生，他曾把明代文學的年會交給我去主辦；還有吳熊和先生，他囑《浙江大學學報》編輯部長年給我寄雜誌，這幾位先生現在都不在了，他們將永遠地留在我的心中。二三十年來，我把自己的學生苗建青、田彩仙、湯江浩、金文凱、徐華送到《文學遺產》編輯部，師從徐公持、陶文鵬、劉揚忠、劉躍進諸先生，或當訪問學者、或從事博士後的工作……和《文學遺產》有關的人和事太多了，有機會再另文敘述吧！

二〇一四年二月二十二日

載《文學遺產六十年》，《文學遺產》編輯部編，北京：社會科學文獻出版社，二〇一四年

後記

一個女生穿上一件漂亮的裙子，往往令其他女生艷羨。一本書的書品（紙張、裝潢、印製）非常精美，也會引起書癡艷羨，二〇一一年蘭臺出版的《東吳手記》或許就是這樣一本書。上海師範大學曹旭教授，詩書攝影俱佳，襯衣領帶，考究得無可挑剔。朋友同行學生喜歡《東吳》書品的多的是，偏偏就是這位近乎唯美的曹旭教授愛得有點發狂。曹教授的書已經多到如果不仔細想想自己都記不全的地步，可是他卻說，就是喜歡《東吳》這一款，他再三再四發願也要出一本像《東吳》這款的書，紙張、裝潢、印製，都得一樣。我心裡竊笑，他該不會也想穿一條和我一樣的「漂亮裙子」，比試比試誰美？他讓我和蘭臺聯絡，最近已經簽了出版合同。他還是不放心，昨天還特地來電，再次強調：要和《東吳手記》一樣！那口吻，無可商量。

不要光說曹教授，我這本《序跋》，對書品的要求也是和《東吳手記》接近，有一條漂亮的裙子，再添一條，款式一樣，色澤不同，合之而雙美。感謝蘭臺盧瑞琴社長成全。如果還有點奢望，就是將來在蘭臺出第三第四本或者更多的書，漂亮的裙子，琳琅滿樹，自得其樂。

蘭臺工作效率很快，從交稿至今，不到半個月，已經一校完畢。也要謝謝未鵬，他在編校方面出力尤多。

二〇一五年五月十三日

國鼎圖書資料館

國家圖書館出版品預行編目資料

慶元序跋/ 陳慶元著

--初版-- 臺北市：蘭臺；2015.6 面；公分--（人文小品 7）

ISBN： 978-986-5633-06-6（精裝）

1.序跋

011.6　　　　104008549

人文小品 7

慶元序跋

作　　者：陳慶元
美　　編：謝杰融
封面設計：謝杰融
出 版 者：蘭臺出版社
地　　址：台北市中正區重慶南路1段121號8樓之14
電　　話：(02)2331-1675或(02)2331-1691
傳　　真：(02)2382-6225
E—MAIL：books5w@yahoo.com.tw或books5w@gmail.com
網路書店：http://www.bookstv.com.tw 、華文網路書店、三民書局
http://store.pchome.com.tw/yesbooks/
博客來網路書店 http://www.books.com.tw
劃撥戶名：蘭臺出版社　帳號：18995335
香港代理：香港聯合零售有限公司
地　　址：香港新界大蒲汀麗路36號中華商務印刷大樓
C&C Building, 36,Ting, Lai, Road, Tai,Po, New,Territories
電　　話：(852)2150-2100　傳真：(852)2356-0735
總 經 銷：廈門外圖集團有限公司
地　　址：廈門市湖裡區悅華路8號4樓
電　　話：86-592-2230177　傳 真：86-592-5365089
出版日期：2015年6月 初版
定　　價：新臺幣350元整（精裝）
ISBN： 978-986-5633-06-6